目錄

南無本師釋迦牟尼佛

開經偈

無上甚深微妙法
百千萬劫難遭遇
我今見聞得受持
願解如來眞實義

南無阿彌陀佛

南無阿彌陀佛

讚佛偈

阿彌陀佛身金色　相好光明無等倫
白毫宛轉五須彌　紺目澄清四大海
光中化佛無數億　化菩薩衆亦無邊
四十八願度衆生　九品咸令登彼岸

佛說阿彌陀經

姚秦三藏法師鳩摩羅什奉詔　譯

如是我聞：

一時，佛在舍衛國祇樹給孤獨園，與大比丘僧，千二百五十人俱，皆是大阿羅漢，眾所知識—長老舍利弗、摩訶目犍連、摩訶迦葉、摩訶迦旃延、摩訶俱絺羅、離婆多、周利槃陀伽、難陀、阿難陀、羅睺羅、憍梵波提、賓頭盧頗羅墮、迦留陀夷、摩訶劫賓那、薄拘羅、阿㝹樓馱，如是等諸大弟子；並諸菩薩摩訶薩

—文殊師利法王子、阿逸多菩薩、乾陀訶提菩薩、常精進菩薩，與如是等諸大菩薩，及釋提桓因等，無量諸天大眾俱。

爾時，佛告長老舍利弗：「從是西方，過十萬億佛土，有世界名曰極樂。其土有佛，號阿彌陀，今現在說法。舍利弗！彼土何故名為極樂？其國眾生，無有眾苦，但受諸樂，故名極樂。

又舍利弗！極樂國土，七重欄楯、七重羅網、七重行樹，皆是四寶周帀圍繞，是故彼國名為極樂。又舍利弗！極樂國土，有七寶池、八功德水充滿其中，池底

純以金沙布地。四邊階道，金、銀、琉璃、玻瓈合成。上有樓閣，亦以金、銀、琉璃、玻瓈、硨磲、赤珠、瑪瑙而嚴飾之。池中蓮華，大如車輪，青色青光，黃色黃光，赤色赤光，白色白光，微妙香潔。舍利弗！極樂國土，成就如是功德莊嚴。

又舍利弗！彼佛國土，常作天樂，黃金爲地，晝夜六時，雨天曼陀羅華。其土衆生，常以清旦，各以衣裓，盛衆妙華，供養他方十萬億佛。即以食時，還到本國，飯食經行。舍利弗！極樂國土，成就如是功德莊嚴。

復次舍利弗！彼國常有種種奇妙雜色之鳥：白鶴、孔雀、鸚鵡、舍利、迦陵頻伽、共命之鳥。是諸眾鳥，晝夜六時，出和雅音，其音演暢五根、五力、七菩提分、八聖道分，如是等法。其土眾生，聞是音已，皆悉念佛、念法、念僧。舍利弗！汝勿謂：『此鳥實是罪報所生。』所以者何？彼佛國土無三惡道。舍利弗！其佛國土，尚無惡道之名，何況有實？是諸眾鳥，皆是阿彌陀佛，欲令法音宣流，變化所作。舍利弗！彼佛國土，微風吹動，諸寶行樹，及寶羅網，出微妙音，譬如百千種樂，同時俱作。聞是音者，自然皆生

念佛、念法、念僧之心。舍利弗！其佛國土，成就如是功德莊嚴。

舍利弗！於汝意云何？彼佛何故號阿彌陀？舍利弗！彼佛光明無量，照十方國，無所障礙，是故號爲阿彌陀。又舍利弗！彼佛壽命，及其人民，無量無邊阿僧祇劫，故名阿彌陀。舍利弗！阿彌陀佛成佛以來，於今十劫。又舍利弗！彼佛有無量無邊聲聞弟子，皆阿羅漢，非是算數之所能知。諸菩薩衆，亦復如是。舍利弗！彼佛國土，成就如是功德莊嚴。

又舍利弗！極樂國土，衆生生者，皆是阿鞞跋致。其

中多有一生補處，其數甚多，非是算數所能知之，但可以無量無邊阿僧祇說。舍利弗！眾生聞者，應當發願，願生彼國。所以者何？得與如是諸上善人，俱會一處。舍利弗！不可以少善根福德因緣，得生彼國。舍利弗！若有善男子、善女人，聞說阿彌陀佛，執持名號，若一日、若二日、若三日、若四日、若五日、若六日、若七日，一心不亂，其人臨命終時，阿彌陀佛與諸聖眾，現在其前。是人終時，心不顛倒，即得往生阿彌陀佛極樂國土。舍利弗！我見是利，故說此言。若有眾生，聞是說者，應當發願，生彼國土。

舍利弗！如我今者，讚歎阿彌陀佛不可思議功德之利：東方亦有阿閦鞞佛、須彌相佛、大須彌佛、須彌光佛、妙音佛，如是等恆河沙數諸佛，各於其國，出廣長舌相，徧覆三千大千世界，說誠實言：『汝等眾生，當信是稱讚不可思議功德，一切諸佛所護念經。』舍利弗！南方世界有日月燈佛、名聞光佛、大燄肩佛、須彌燈佛、無量精進佛，如是等恆河沙數諸佛，各於其國，出廣長舌相，徧覆三千大千世界，說誠實言：『汝等眾生，當信是稱讚不可思議功德，一切諸佛所護念經。』舍利弗！西方世界有無量壽佛、無量相

佛、無量幢佛、大光佛、大明佛、寶相佛、淨光佛，如是等恆河沙數諸佛，各於其國，出廣長舌相，徧覆三千大千世界，說誠實言：『汝等眾生，當信是稱讚不可思議功德，一切諸佛所護念經。』舍利弗！北方世界有燄肩佛、最勝音佛、難沮佛、日生佛、網明佛，如是等恆河沙數諸佛，各於其國，出廣長舌相，徧覆三千大千世界，說誠實言：『汝等眾生，當信是稱讚不可思議功德，一切諸佛所護念經。』舍利弗！下方世界有師子佛、名聞佛、名光佛、達摩佛、法幢佛、持法佛，如是等恆河沙數諸佛，各於其國，出廣長

舌相，徧覆三千大千世界，說誠實言：『汝等眾生，當信是稱讚不可思議功德，一切諸佛所護念經。』舍利弗！上方世界有梵音佛、宿王佛、香上佛、香光佛、大燄肩佛、雜色寶華嚴身佛、娑羅樹王佛、寶華德佛、見一切義佛、如須彌山佛，如是等恆河沙數諸佛，各於其國，出廣長舌相，徧覆三千大千世界，說誠實言：『汝等眾生，當信是稱讚不可思議功德，一切諸佛所護念經。』

舍利弗！於汝意云何？何故名為『一切諸佛所護念經』？舍利弗！若有善男子、善女人，聞是經受持者，

及聞諸佛名者，是諸善男子、善女人，皆為一切諸佛之所護念，皆得不退轉於阿耨多羅三藐三菩提。是故舍利弗！汝等皆當信受我語，及諸佛所說。舍利弗！若有人——已發願、今發願、當發願，欲生阿彌陀佛國者，是諸人等，皆得不退轉於阿耨多羅三藐三菩提；於彼國土——若已生、若今生、若當生。是故舍利弗！諸善男子、善女人，若有信者，應當發願，生彼國土。

舍利弗！如我今者，稱讚諸佛不可思議功德，彼諸佛等，亦稱讚我不可思議功德，而作是言：『釋迦牟尼

佛！能爲甚難希有之事！能於娑婆國土，五濁惡世——
劫濁、見濁、煩惱濁、衆生濁、命濁中，得阿耨多羅
三藐三菩提，爲諸衆生，說是一切世間難信之法。』
舍利弗！當知我於五濁惡世，行此難事，得阿耨多羅
三藐三菩提，爲一切世間，說此難信之法，是爲甚難
！」

佛說此經已，舍利弗及諸比丘，一切世間、天、人、
阿修羅等，聞佛所說，歡喜信受，作禮而去。

佛說阿彌陀經

◉鳩摩羅什三藏法師像

介紹

姚秦是朝代名，指的是南北朝時候姚興在位的後秦。三藏包含經藏、律藏、

論藏，一切的佛法都含藏攝持在這三藏裡面，能精通三藏，受持三藏之法並教化他人，足為人、天師範的人，才可為三藏法師。鳩摩羅什不僅是自利、利他兼備的法師，同時還博通三藏，而且早從過去毘婆尸佛開始，一直到現在的釋迦牟尼佛等七佛以來，就一直是個譯經法師，他所翻譯的經典不僅深契佛旨，而且巧合群機，所以堪稱為三藏法師。

鳩摩羅什譯意為童壽，因為他七歲即能說法，年紀小卻能有年老的德行，所以號為童壽。羅什是東晉龜茲國（約今新疆疏勒）人，先祖原居天竺，世為王臣。父親棄官捨家，遊學到龜茲國，娶公主而生羅什。他自幼聰敏，七歲隨母入寺修行，後來遊學參訪，博聞強記，聲譽滿天竺，歸國之後，被龜茲國王奉為國師。前秦符堅聞其德行，欲請羅什入輔中國，因此遣將軍呂光率兵西伐龜茲。呂光雖然大敗龜茲國，得到羅什，但是在返國途中卻聽說符堅已失敗死亡，於是便自立為王。羅什因此被呂光羈留十多年，直到後秦姚興攻破呂光，才被迎請至長安，並且被尊為國師，延請入閣，居於逍遙園，與僧肇等八百多位沙門，從事譯經工作。法師曾發誓說：若翻譯無有錯誤，圓寂荼毘時，舌根不壞，以為證明。後來臨終荼毘時，舌根果然不壞。法師一生致力於譯經弘法，所翻譯的經論有如阿彌陀經、法華經、梵網經、維摩經、大智度論、中論等數十部，深受後世重視，對我國佛教之發展有很大的影響。

阿難尊者集結此經時，開口宣說「如是我聞」。集結會上，人天圍繞，大梵天王持寶蓋，帝釋天王進桌几，修羅供香，佛現光明，以垂加被。

白話淺釋

這一部阿彌陀經是釋迦牟尼佛（以下簡稱佛陀）金口宣說，我阿難親從佛陀聞說的。

有一天，釋迦牟尼佛在舍衛國的祇樹給孤獨園（又名祇園精舍）說法。

補充說明

釋迦牟尼佛降生於古印度的迦毘羅衛國，父親為淨飯大王，母親為摩耶夫人，太子姓釋迦，幼名為悉達多，成道後稱為牟尼。釋迦翻譯作能仁，意思是可以利益三界，度脫眾生，即為利他覺他之意。牟尼是尊稱，翻譯作寂默，意思是寂照智明，默契真理，即為智行自覺之意，釋迦牟尼便是自覺覺他，覺行圓滿的意思，簡稱為佛陀。摩耶夫人生下佛陀後第七日就去世了，因

此便由姨母摩訶波闍波提代為撫養長大。照理說，佛陀生為國王之子，從小在財富，享樂與權勢的環境中長大，一般人所渴望的東西，他是應有盡有，應該不會有什麼不滿足才對，可是巧的是，他卻在偶然的機會中遇見了一個病人、一個老人和一個死人。這件事令佛陀的心靈受到相當大的震憾，因為他發現，不管你怎麼有錢有勢，還是會老，會病，會死。於是年輕的佛陀便開始思考，要如何才能解脫這些痛苦的束縛？稍後，佛陀遇見了一位行腳的苦行僧，知道透過修行可以解脫生、老、病、死的痛苦，於是就很高興的捨棄皇宮尊貴的安樂，偷偷的在半夜出城而去。最初幾年，佛陀到處參訪外道學習甚深的禪定，接著又修嚴苛的苦行（自我折磨），如此出家苦行六年後，佛陀發現這些禪定、苦行對於解脫生、老、病、死的痛苦並沒有什麼幫助，於是佛陀調整修行的方法，在摩竭陀國菩提加雅的菩提樹下安靜的坐下來，並且發誓說：「我若不成正覺，就不離開此座。」經過重重的魔考和覺悟，終於證得不生不死的解脫自在，成為我們所尊敬的佛陀。佛陀從十九歲出家，三十歲成道，往後說法四十九年，度人無數，於八十歲示現涅槃。

——一切佛經的開頭都是用「如是我聞」這四個字。為什麼呢？原來佛陀住世的時候，所說的一切法，並沒有立刻記載下來，於是當佛陀快要涅槃的時候，他的弟子阿難就問佛陀說：「佛陀，您所說的一切教法，我們按理應當有

系統的將它整理集結，以便留傳後世。但是經典的開頭，應該如何開始，才能使以後的人相信這確實是佛陀您所說的教法呢？」於是佛陀告訴他說：「你們就在每一部經的開始，冠上『如是我聞』四個字。」這麼做主要的原因有兩個：一、是為了要去除大眾的疑惑。因為阿難是白飯王的王子，亦即佛的堂弟，長得很像佛陀。他從二十五歲出家以後，就一直當佛陀的侍者，一直到佛圓寂。由於他的記憶力特別好，任何佛法，只要被他聽過，就再也不會忘記，再加上當初阿難出家的時候，曾經要求佛陀要將他在出家以前所沒有聽到的佛法重新對他講一遍，所以佛陀所說的法，阿難全部都沒有遺漏，也因此佛陀圓寂後才由阿難帶領大家來集結佛經。可是當阿難登台集結的時候，忽然相好莊嚴如佛，使得大家心生疑惑，是佛陀又復活了嗎？還是魔變化成佛，要來欺騙大家呢？所以阿難就遵照佛陀的交待，開口說道：「如是我聞」，這才使得大家疑慮頓消，知道原來是阿難尊者在複述佛陀生前所說過的佛法。二、是要消除大家的不安。因為佛陀涅槃的時候，阿難尚未開悟，於是很多人擔心阿難會在集結的法會上亂說一通。可是說出「如是我聞」以後，便可以讓大家知道，這些法都是阿難親自聽佛陀講的，而非他自己亂編的。

佛經的結集，在每一部經典上，都具有六種成就以為證信，有別於外道教典，那就是：一、信成就：「如是」表示法理真實可信。二、聞成就：

「我聞」表示這是我（阿難）親聞佛陀宣說的，而非輾轉聽來的。三、時成就：是指佛陀說出本經的時間，因為古時候各地計算時間的方式，標準多不相同，時間因而無法確定，所以才以「一時」表稱。四、主成就：是指本經的主講人，佛陀自覺圓滿，然後覺他，能為說法施教之主。五、處成就：是指佛陀說出本經的地點，阿彌陀經即是佛陀在舍衛國祇樹給孤獨園宣說的。六、眾成就：是指佛陀在講本經時的在場聽眾，佛陀在給孤獨園說阿彌陀經時，共有大比丘僧一千二百五十人眾，在園裏恭聽佛法。任何一部佛經的成就，都必須具備這六件事，缺一不可。

舍衛國是古印度十六大國之一，本來是一個城的名字，後來才改為國號。舍衛譯意為聞物、豐德，即物產美聞諸國，而且國中財寶產物豐盛，人民多篤信佛法，深具德行，所以又叫豐德。這是佛陀經常駐錫說法的大城之一。有一次舍衛國有一位名叫須達多的長者要到摩竭陀國替兒子提親，當長者走到親家的家裡時，卻看見他們在整修家園，詢問之後才知道原來是佛陀要來接受齋供（那時候佛陀正好在摩竭陀國）。於是長者便說：「釋迦牟尼不過是個出家和尚，何必如此大費周章呢？」他們說：「你自己來聽聽佛說的法，就會明白了。」隔天，須達多長者果真前去聽佛陀說法，而且聽得好高興，便向佛陀說：「我將來要在舍衛國建一處最好的道場，以供佛陀為我們講經說法之用。」

回國之後，長者便四處找尋地點，終於發現祇陀太子的花園是一個很合適的地方，於是便向太子說明心意。但是誰知太子並沒有想賣花園的意思，就以為難的語氣告訴須達多長者說：「如果你能以黃金鋪滿我這塊花園的土地，我就把花園賣給你。」長者聽了好高興，就趕緊把家中的黃金全部都搬到太子的花園裏去，而且照約定把花園鋪滿了黃金。一旁的太子看到長者的舉動，很受感動，就告訴長者說：「可否也讓我出一份力量呢？」但是長者不肯，於是太子急中生智，脫口說：「雖然土地我答應賣給你，可是園中的樹木花草我可沒有答應要賣給你，這樣子吧，樹木就算是我捐出來供養佛陀的吧。」於是這個花園後來就以祇陀太子和長者的名字改名為祇樹給孤獨園。（請注意，須達多長者是波斯匿王的大臣，因為其生平樂善好施，常常以財物幫助那些孤苦無依的人，所以外號「給孤獨長者」）。

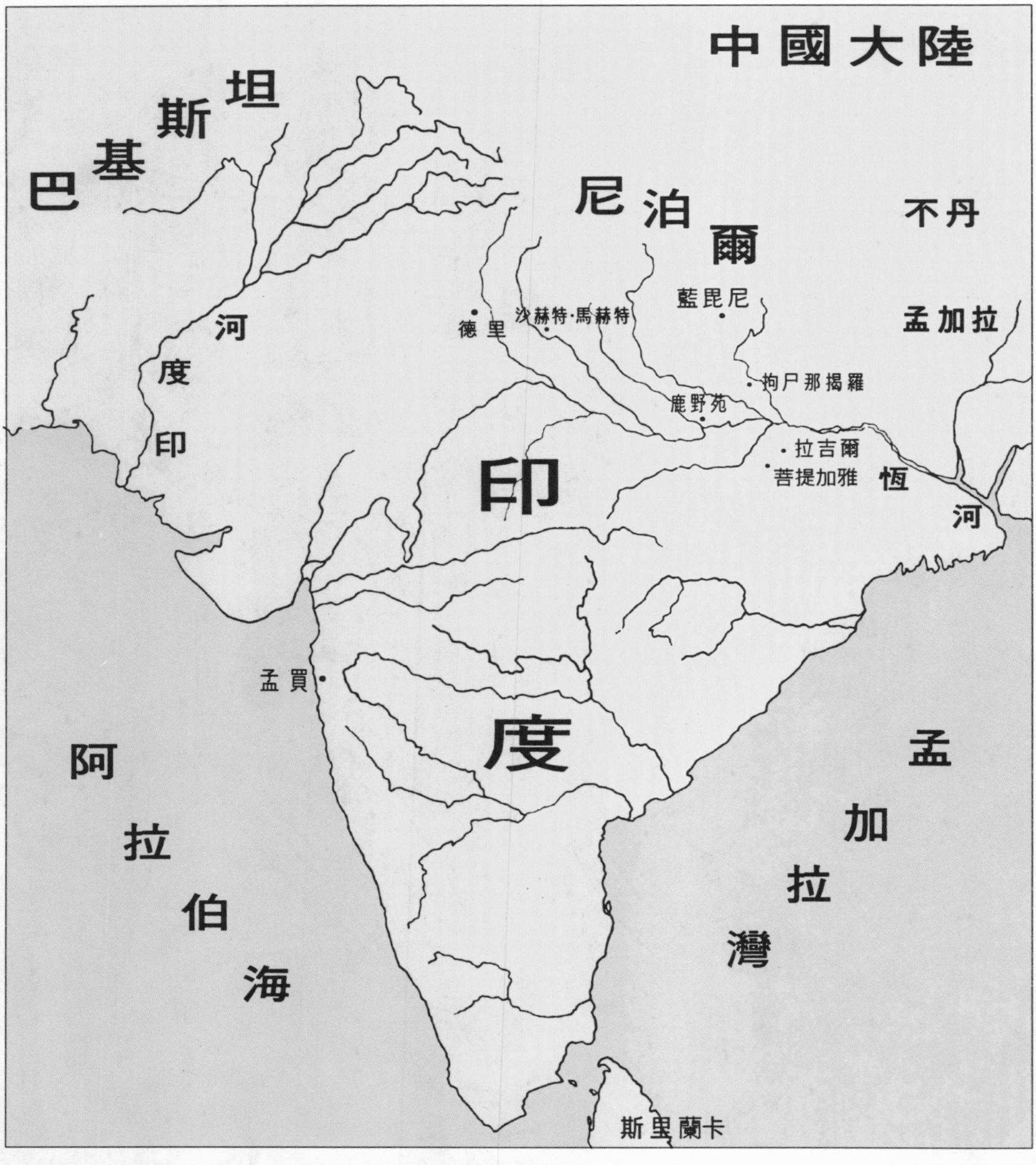

王舍城：摩揭陀國是當時十六國中國力最強者，王舍城是其首都，也是佛陀經常講經說法的地方，位在現在的拉吉爾境內。（著名的靈鷲山和竹林精舍也在附近）

舍衛城：位於現在的沙赫特馬赫特。

鹿野苑：佛陀初轉法輪的地方。

藍毘尼：相傳是佛陀誕生的地方。

菩提加雅：佛陀悟道的地方。

拘尸那揭羅：佛陀圓寂的地方。

圖片解說

阿難尊者在佛陀諸大弟子中是多聞第一，憶持如來祕密法門，受領無失。「如是我聞」指的就是這部阿彌陀經是阿難親從佛聞的。

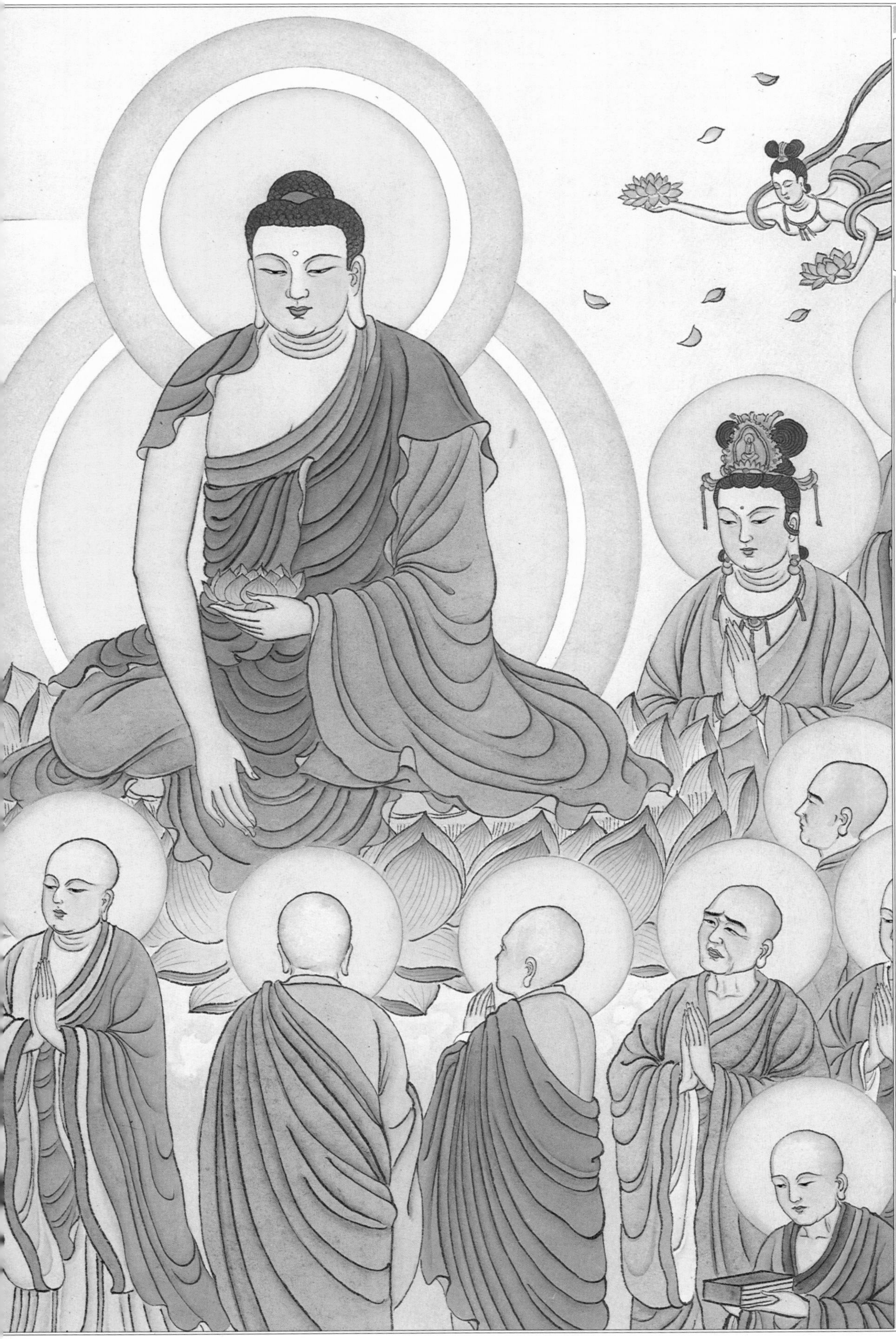

圖片解說

釋迦牟尼佛在祇園宣說此經時，諸大羅漢，菩薩及帝釋等諸天大眾，為聞法故，都來會上，恭聽佛法。

當時，在場聽佛陀說法的大比丘僧，共有一千二百五十人等，都是已經證到阿羅漢果的尊宿，眾人敬仰的大善知識；如德高望重的舍利弗長老、大目犍連長老、大迦葉長老、大迦旃延長老、大俱絺羅長老、離婆多長老、周利槃陀伽長老、難陀長老、阿難陀長老（即是阿難）、羅睺羅長老、憍梵波提長老、賓頭盧頗羅墮長老、迦留陀夷長老、大劫賓那長老、薄拘羅長老、阿㝹樓馱長老等諸位大弟子，而爲代表。

比丘是梵語，含有三種意義：一、乞士：外向眾生乞食資養色身，內向如來乞法長養慧命。意即出家過修道清淨的生活。二、破惡：能攝持淨戒以破一切煩惱惡法，斷絕三界生死惡因。三、怖魔：若人發心出家修道，魔王聞之，心生怖畏，恐其離欲成道，魔眾減少，因為魔喜歡愛欲煩惱，樂與生死煩惱為眷。僧是梵語僧伽的略稱，譯為和合眾。凡比丘同住一處，共修同證無為解脫之法，同一法喜，如水乳交合，不相違諍，名為和合。若詳述其義，則有六種和合：即身和同敬、口和無諍、意和同悅、戒和同修、見和同解、利和同均，所以僧者應具此六和合，方能修法辦道，而為人天表範。

談到這一千二百五十人，就得談談佛陀最初度眾的一些經過了。原來佛陀剛成佛時，首先在鹿野苑遇到五比丘，接著又度化耶舍及其朋友等五十人，然後才遇到信仰拜火教的迦葉三兄弟。這三兄弟可有趣了，分別住在三個地方修道，而且有不少徒弟。當佛陀前往向大哥迦葉宣說佛法的時候，大迦葉硬是不信，還為難佛陀，要佛陀在他的神壇住一個晚上。而且為了考驗佛陀的能力，還在晚上升起了大火，想把佛陀燒死。可是沒想到隔天早上，佛陀竟然平安無恙，還毫髮未損。這可嚇壞了大哥迦葉，他心想：「此人必是有德之聖

人。」於是就將所有的拜火器具丟入河中，率領所有的徒眾五百人全部皈依佛陀。過幾天，住在中下游的二、三迦葉見到了順流而下的拜火器具，以為上游的大哥發生了事情，便急忙的率領徒眾五百人前往搭救。但是誰知道卻只見到大哥迦葉恭敬的站在佛陀身旁聽法，於是二人也在聽完佛法之後，率領所有徒眾五百人一起皈依佛陀，這樣子就已經有一千零五十五人了。緊接著，舍利弗和目犍連又率領了徒眾二百人前來皈依佛陀，於是總共有一千二百五十五人，這便是一千二百五十人的由來。這一千二百五十多位弟子在沒有遇見佛陀之前，皆是修學外道的，直到見到佛陀之後，才開始修學佛法，而且都斷了煩惱，證得阿羅漢果。他們由於感念佛恩深厚，所以都發願常隨佛陀，因此，佛陀走到那裏，他們就跟隨到那裏，所以又稱為常隨眾。但是這並非表示佛陀講經時，只有一千二百五十多位比丘來聽法，另外還有很多菩薩、比丘、比丘尼、優婆塞、優婆夷也都前來聽法。

聲聞比丘所證的聖果有四種：初果須陀洹，二果斯陀含，三果阿那含，四果阿羅漢。阿羅漢是聲聞比丘修證的最高果位，含有三種意義：殺賊、無生、應供。比丘奉行佛戒，淨修梵行，破除一切惡，斷盡見思煩惱賊害，證得阿羅漢，所以又叫殺賊，此為比丘破惡所感的果報。阿羅漢斷除見思煩惱賊害，等於斷除了三界生死的根本，於三界內不再受生死之苦，即是永得解脫，

證入涅槃，所以又叫無生，此為比丘勤修而令魔怖畏所感的果報。由於魔愛生死煩惱眷屬，而阿羅漢已證無生，魔眷漸少，因此令魔驚怖。比丘勤修梵行，證得阿羅漢，德行值得人天敬重，可為人天福田，堪受人天供養，受施無愧，所以又叫應供（或應真）。此為比丘乞食時，因為能令世人種福，於證得阿羅漢時，即感人天應供的果報。而且供養阿羅漢，能得現世福報，更可為人天植福的良田。

舍利弗又稱舍利子，意為「舍利之子」。舍利是一種鳥，眼睛很美，舍利弗的母親就因為眼睛長得像舍利鳥一般美麗，所以名字就叫舍利。而舍利弗所生之子，當然就叫舍利子了。舍利弗從小就非常聰明，即使還沒有出生，也可以讓他的母親因為懷他的緣故而突然變得非常有智慧，有口才呢！出生之後更是不得了了，八歲就能登台說法，十二歲就已周遊列國，辯才無礙。追隨佛陀出家以後，證得智慧無窮，能決了諸疑，在所有弟子中號稱「智慧第一」。

目犍連是舍衛國人，婆羅門輔相之子。在沒有皈依佛陀之前和舍利弗是好朋友，歸依佛陀以後，勤修道行，證得廣大的神通，能夠飛天入地，在佛陀所有弟子中，他是「神通第一」。談到舍利弗和目犍連我們必須來談一談他們兩人學佛的經過。他們兩人原本是婆羅門學者刪闍耶的學生，而且是好朋友。

◉羅漢圖

◉羅漢圖

有一天，師父去世了，兩個人無所依靠，就打算出外尋找更高明的老師，於是彼此約定，要是誰先找到可以依靠的人，就必須通知另一人。有一天，舍利弗在路上碰見一位出家人—馬勝比丘，舍利弗見他相貌儀態非常莊嚴，於是上前問道：「你修的是什麼法，能有這麼好的威儀？」馬勝比丘回答說：「並不是我修的好，實在是我的師父了不起。」於是舍利弗再問道：「你的師父都教你些什麼法門，使你的心能這麼平靜？容貌這麼莊嚴？」他說：「我的師父教我『諸法因緣生，諸法因緣滅，我師大沙門，常作如是說。』」舍利弗一聽非常感動，就回去告訴目犍連，於是二個人就一起皈依了佛陀，而且出家了。

據說大迦葉尊者，身體常會放出大光明，可以吞蝕其它的光，所以又名飲光。原來大迦葉尊者的過去生，是一個冶金師，當時有一名貧窮的女子，每天都會到佛像前禮拜，求佛加被，後來看見佛像的金片脫落了，心裏很難過，就發願要為佛像裝金。有一天，她撿到一枚金幣，並且從自己身上湊了點錢，就去找金匠為佛像裝金。那位金匠也就是尊者的前身，他見女子如此誠心，很受感動就答應免費為佛像裝金，由於這個緣故，尊者便世世都身如黃金色。其實尊者原是摩竭陀國的一位大富翁的兒子，因為看破世間無常，所以就發心出家，並且修的是頭陀的苦行，即使到了晚年，仍然不改變。佛陀曾經勸令他休息，但尊者依然辛勤如故，所以佛陀讚歎他說：「有頭陀行在，我法久

住。」在靈山會上，尊者的拈花微笑，還使他成為中國禪宗的初祖呢！據說，尊者現在因為承釋迦佛之命，仍然尚在雞足山中入定，等待彌勒佛下生人間時，才出來輔助教化，要把金襴袈裟傳給彌勒佛呢。

迦旃延尊者善於言辭，長於議論，佛陀曾讚歎他說：「說法人中，迦旃延第一」，在諸弟子中是「論議第一」。有一次，尊者遇到一位無神論者的外道，問他說：「照理說，如果人死後會依照生前所做的善惡繼續輪迴生死的話，那麼為什麼壞人死後遭受苦報，卻沒有見到半個回來告訴我們，警告我們呢？」尊者於是反問說：「請問世人如果犯了罪，被關進監獄以後，還能來去自由嗎？」外道不服氣，又繼續問：「那麼好人生天以後，總可以回來告訴我們吧？」尊者又笑了笑說：「想一想，如果一個人剛從骯髒的廁所裏出來，請問他還會想再進去嗎？世人因為愚痴，才把這污濁混亂的人世當成樂園，對於那些好不容易可以離開到天上去的人而言，怎麼會有人想再回來呢？」說完，外道啞口無言。由於尊者的辯才無礙，使許多外道都心服口服的皈依了佛法。

俱絺羅尊者是舍利弗的舅舅，擅長辯論。在舍利弗未出生時，尊者常常與姊姊辯論，而且贏多輸少，但是誰知道自從姊姊懷了舍利弗之後，他就不是姊姊的對手了。於是他知道姊姊肚子裏的小孩不簡單，因此就離家求道，用功

◉羅漢圖

◉羅漢圖

的程度，到了忘記剪指甲的地步，也因此人家給他取了個外號叫「長爪梵志」。有一次，他跑去找佛陀辯論，佛陀笑著對他說：「你要和我辯論嗎？但是萬一你輸了，要怎麼辦？」尊者回答說：「輸了願意砍頭」。於是佛陀就說：「你提出問題吧！」尊者就開口說：「我一切法都不接受」，佛陀於是反問他說：「那麼你現在說的這句話，接不接受呢？」尊者一時傻了眼，自知被問倒，願意被砍頭。但是佛陀告訴他說：「我的佛法中，只有剃頭，沒有砍頭」。於是尊者感謝佛陀的慈悲，就跟隨佛陀出家了。尊者精勤修行，不久便證得大阿羅漢，由於尊者善解問答，在佛陀的所有弟子中，尊者是「答辯第一」。

離婆多又譯為星宿，他的父母原本無子，因為虔誠的向星宿禱告，才生下離婆多，所以得名。有一次尊者在郊外涼亭休息的時候，夢見一個大鬼王在追趕一個小鬼，因為大鬼王要奪取小鬼身上所背的那一具屍體，所以兩個鬼就吵了起來。小鬼沒辦法，就請尊者評理，尊者也認為大鬼王強搶小鬼的東西是不對的行為，大鬼王一生氣，就把尊者的手腳砍下來吃掉。小鬼看見尊者為了自己的事遭受災難，就趕緊用屍體的手腳幫尊者補上。而尊者因為被這突如其來的一幕給嚇著了，就醒過來了。事後尊者為了這個夢感到非常困擾，他心裏想，這個身體的手腳是我的嗎？昨天晚上我分明看見被大鬼王吃掉了啊！可是如果是別人的，那麼為什麼還會聽我的使喚呢？於是他逢人就問：「你有看見

我的手、我的腳嗎？」後來，有一位比丘，知道了這事，就告訴他說：「人的身體本來就是借你用的，那有什麼是你的、我的分別呢？」於是尊者從此領悟到人身四大假合的道理，就到佛陀座前請求出家，隨順佛法修行，對事理不再顛倒錯亂，在所有的弟子中因為定力最好，不散亂，被稱為「無倒亂第一」。

周利槃陀伽尊者在佛的所有弟子中，算是比較愚鈍的一個了。因為他出家一段時間以後，仍然無法記得佛陀所說的任何教法，總是記了前面忘了後面。於是他哥哥便罵他說：「你這樣笨，怎能出家呢？還是還俗去吧！」他好難過，就坐在門邊哭了起來。佛陀看見了就安慰他，教他拿著掃帚去幫忙打掃清潔，並教他持念「掃帚」兩個字。但是他仍然是笨得連這兩個字也記不得，也是記了「掃」就忘了「帚」。不過由於每天努力的除塵去垢，精進不懈，終於證得阿羅漢果。尊者雖然愚鈍，但是卻能以一把無形的掃帚，將內心的愚蠢煩惱，掃得乾乾淨淨，背誦掃帚，即能開悟，若用功念佛，豈能不成佛嗎？

難陀尊者是佛陀同父異母的弟弟，為波闍波提夫人所生。他的威儀很好，形貌和佛陀相似，有時候還有人會把他誤認是佛陀本人呢！在佛陀的所有弟子中是「儀容第一」。

◉羅漢圖

◉羅漢參妙圖

阿難陀就是阿難，前面已經介紹過，他是「多聞第一」。

羅睺羅是佛陀的兒子。其實羅睺羅這個名字有障礙遮閉的意思，為什麼會取這個名字呢？聽說有兩個原因：第一、是當年佛陀要出家的時候，淨飯王以王位無人繼承而不肯答應，除非釋迦有了兒子才能出家，所以說他是障礙佛陀出家的人。第二、是佛陀出家後六年，羅睺羅才出生，大家因此都指責這個孩子來歷不明。於是佛陀便說出羅睺羅過去生的因果關係：原來他在過去生中，曾有一世在孩提時候頑皮，把老鼠洞堵住了六天，讓老鼠出不來，因此這一世他受到報應，才在娘胎裏住了六年出不來，不僅障礙自己，也障礙了母親。但他也是乘願而來，輔佐佛陀教化的。由於他修行時，別人看不見，佛陀因此讚歎他說：羅睺羅密行唯佛能知之。在佛陀的所有弟子中，他是「密行第一」。

憍梵波提譯為牛呞，意思是牛吃草的樣子。原來這位尊者在過去世中曾經是個和尚，有一次他看見另外一位老比丘在吃東西，因為牙齒掉光了，所以就用牙床來嚼食物，樣子很像牛吃草的樣子，他便取笑那位老比丘，老比丘對他說：「你不要取笑我，趕快求懺悔，否則會下地獄的。」由於他當場知道自己不對，立刻向老比丘認錯，所以後來雖然沒有下地獄，但是卻做了五百世的牛。由於做了太久的牛，所以這輩子做人還會保有牛的習氣，吃東西很像牛吃

草的樣子。他歸依佛陀之後，不久也證了阿羅漢。佛陀唯恐世人看見他的樣子會生輕視譏笑，而招致罪過，因為他是個阿羅漢。於是佛陀就叫他去天上，受天人的供養，因為天人能知他的前世果報，不敢譏笑他，因此尊者被稱為「受天供養第一」。

賓頭盧頗羅墮在佛陀的弟子中是「福田第一」。為什麼呢？因為有一次，一位外道仗著自己有神通，就到處吹牛說：「要是有誰能將我頭上的鉢取下來，我就向他臣服。」結果，真的是沒有人能動得了他的鉢子。後來尊者知道了，很不服氣，就用神通把他的鉢子摘下來，殺殺外道的銳氣。佛陀知道這件事以後，就教訓尊者說：「佛戒神通，如果用神通來吸引大家，那麼大家便一心只想學神通，而不會有人肯聽聞正法了。」所以佛陀就罰他不可以入涅槃，要留在人世間接受眾生的供養，讓眾生廣種福田，是為「福田第一」。因此，現在的佛教界在舉辦齋僧大會時，總會留個位子，就是要讓尊者前來受供的。

據說迦留陀夷出生的時候全身是黑的，而且發出光亮。由於尊者晚上出外乞食，人們見到黑黑的一團都會感到害怕，所以佛陀就制定一條戒律，要出家人在晚上不可以出門乞食。儘管如此，尊者因為善於教化眾生，所以在佛陀的弟子中稱作「教化第一」。

◉羅漢宣梵雨花圖

◉羅漢一指華嚴圖

據說摩訶劫賓那尊者的父母親原本無子，為了求子，才向房宿星祈禱，因此而生下了尊者。尊者在未出家前，有一次於途中遇雨而寄宿陶舍，佛陀知道他出家的因緣成熟，所以同時亦化作一位比丘來陶舍求宿，並且當夜為他說法，因此他就隨佛出家，並且證得阿羅漢果。由於他通曉天文星宿，因此稱為「知星宿第一」。

薄拘羅尊者由於世世持不殺生戒，所以很長壽，活到一百六十歲，是為「壽命第一」，而且他宿世常行布施，所以容貌慈善端正。據說尊者在過去世的時候曾經布施一顆訶黎勒果給一位生病的比丘，因此而得到五種不死的果報。什麼是五不死呢？第一，出生時，尊者被包裹在一個肉團裡面，他父母親以為生了個怪物，就把他丟入鍋中，結果熱水煮不死他。第二，又用火烤，也烤不死他。第三，再丟入水中，也淹不死他。第四，稍後肉團被魚吃了，竟也無事。第五，後來魚被漁夫捉到，剖開肚子，竟然發現尊者安然無恙。所以說布施和愛護生命不殺生實在是值得我們學習的行為啊！

阿㝹樓馱譯為無貧，據說由於尊者累世修布施，因此生生世世都很富有，而且愈是富有，就布施愈多。唯獨有個毛病就是愛睡覺，常常佛陀在上面講經說法，他就在下面猛打瞌睡。結果有一次佛陀為了警戒他，就大聲喝斥說：「咄咄何為睡，螺獅蚌蛤類；一睡一千年，不聞佛名字。」於是尊者心裏很難

過，就發奮精進睜大雙眼，七日七夜不閉眼，結果把眼睛弄瞎了。佛陀憐憫他，就教他「樂見照明金剛三昧」，修成之後，證得天眼通，不但眼睛看得見，即使是大千世界所有事物，他都能如觀掌中紋一樣，看得一清二楚，故稱「天眼第一」。

◉大智文殊菩薩

白話淺釋

同時，還有許多位大菩薩前來聽法，其中有文殊師利菩薩、阿逸多菩薩、乾陀訶提菩薩、常精進菩薩，如是等諸位大菩薩而為代表。復有釋提桓因與諸天王、天子眾，以及其他世間無量的天、人，都歡喜踴躍的前來聽佛說法。

補充說明

菩薩是菩提薩埵的簡稱，一般翻譯為「具有大道心的眾生」或「覺有情」。大論釋上面記載：「菩提名佛道，薩埵名成就眾生，以諸佛道成就眾生，故名菩提薩埵。」此外阿毗曇上面也說：「菩提云無上道，薩埵名大心，謂此人發廣大心，求無上道，救度眾生，故名菩薩。」覺是覺悟，有情是指六道眾

◉大悲千手千眼觀世音菩薩

◉大智文殊菩薩

◉大行普賢菩薩

◉大慈彌勒菩薩

生，菩薩以智求佛道之覺（自利），而悲度一切衆生（利他）。菩薩具有大慈悲，視衆生如子，以衆生之苦為己苦，所以常發願濟度一切衆生，普願一切衆生，共出苦海，同得解脫。所以我們可以知道，一般的行者只要發菩提心，智求佛道，悲度衆生，就可以稱之為菩薩。不過要注意的是，這類的菩薩是尚未成佛的。其實有很多菩薩都是已經覺悟成佛的，像觀世音菩薩就是過去的正法明佛，文殊菩薩是過去的龍種上佛，他們都是由於慈憫衆生，才特別再示現菩薩，倒駕慈航，回到這個娑婆世界來普度衆生的，這和一般初求佛道的菩薩不同。摩訶譯為大，薩即菩薩，摩訶薩即是指菩薩中之大菩薩，為已發大菩提心而能救度衆生的大菩薩。

文殊師利又稱曼殊室利，譯為妙德或妙吉祥。文殊菩薩早已成佛，為了輔佐釋迦牟尼佛教化衆生，示現菩薩身，在衆菩薩中，功德智慧推為第一。按文殊菩薩之本因，他過去曾對寶藏佛發宏誓願，蒙佛授記，字曰文殊，若論本果，則為過去龍種上佛，今在北方歡喜世界作佛，號歡喜藏摩尼寶積佛，未來將於南方離垢世界成佛，號普現佛。文殊菩薩過去為七佛之師，證得一切佛智，德行深妙，不可思議，所以稱為妙德。文殊菩薩，倒駕慈航，悲智勇猛，能令見其相或聞其名者，發大菩提心，離苦得樂，吉祥不可思議。而且文殊菩薩降生時，世界有十種祥瑞，勝福不可思議，所以稱為妙吉祥。佛陀是法王，

文殊繼承佛法，紹隆佛種，輔佛行化，就如同子繼父業一樣，所以稱文殊師利為法王子。文殊菩薩的頭上有五個髮髻，表大日五智。他手中執劍，表以智慧斬斷一切惡法。又常坐在獅子背上，表智慧勇猛如獅，以智慧降伏一切煩惱獸。文殊菩薩與普賢菩薩同是釋迦牟尼佛的兩大助手，文殊表智慧，普賢表行願，兩位都是已經成佛的大菩薩，為了輔助佛陀弘揚佛法，才又示現為菩薩。

阿逸多菩薩就是彌勒菩薩，彌勒是姓，阿逸多是名，譯作「慈氏」，名「無能勝」。彌勒菩薩過去生中，遇大慈如來，曾發願行同大慈，即得慈心三昧，從此多生廣修慈行，常修慈定，慈護眾生，所以稱為「慈氏」。由於他是補處菩薩，即將成佛廣度眾生，他的至極大慈，無人能勝，所以名為「無能勝」。佛經上說彌勒菩薩原本出生於婆羅門家庭，後來皈依佛陀，而且先佛入滅，上升於天上的兜率內院，為天人說法，成補處菩薩，將來繼承釋迦佛位，下生人間，在華林園龍華樹下成佛，開三番法會，廣度上中下三根眾生，是為龍華三會。據說彌勒菩薩在梁武帝的時候曾經應化為傅大士，很受武帝尊敬。此外，五代時候有一位名叫契此的和尚，綽號布袋和尚，生得大肚皮，大耳朵，手攜布袋逢人便乞化，所得的東西都放入袋中，餓了就吃一些，飽了就隨便找個地方睡覺。他出語無定，但是卻非常靈驗，除了能預知晴雨外，還能沾雪不濕，讓人覺得很神奇。五代後梁貞明二年，契此和尚端坐在明州岳林寺的

一塊磐石上，口念「彌勒真彌勒，分身千百億，時時示時人，時人自不識」然後就圓寂了。由於他行動奇特，圓寂前又念了這樣的偈語，所以有人認為他就是彌勒菩薩來轉世的，而這也就是我們現在所聽到有關彌勒菩薩的一些傳說。

乾陀訶提菩薩又叫不休息菩薩。誠以佛道深遠，不易成就，此菩薩歷劫精進，常修萬行，不退菩提，廣度眾生，未嘗休息，故稱不休息菩薩，表示信心不退，梵行不退，菩提心不退的意思。

常精進菩薩歷劫廣修梵行，就是為了廣度眾生，他寧可自己生生世世不成佛，也要為眾生說法，所以叫做常精進菩薩。寶積經上甚至提到，這位菩薩曾經為了度化眾生，而能於無量劫中，常隨護眾生，一念不捨，如此精進不斷，所以名為常精進菩薩。

其實菩薩那麼多，為什麼在這裏卻只列舉這幾位菩薩為代表呢？實在是淨土念佛法門太不可思議了，非得有大智慧的人才能信知，所以才推文殊菩薩為首，表示念佛求生淨土，以智信為先。其次，念佛法門是度生要法，應該要流傳下去，而彌勒菩薩是繼釋迦牟尼佛之後，將來會在這個世界成佛的菩薩，他將來能讓此經流通無盡，所以才接著舉出彌勒菩薩。彌勒同時亦表慈行，以慈心不殺，具諸戒行，成生淨土之因。此外，學習這個念佛法門，沒有什麼訣

竅，只要萬緣放下，專心念佛，於四時中，常勤精進，不可懈怠，自然可以得到工夫純熟，臨終能夠順利往生，所以不休息菩薩、常精進菩薩又次之。正因為上列原因，所以才特別舉出這幾位菩薩做為代表，而不是隨便舉一舉的。若深述之，文殊表過去佛，釋迦表現在佛，彌勒表未來佛，即三世諸佛皆宣揚讚歎念佛法門之殊勝，如能智信慈行，精進念佛，不退道心，必能登極樂淨土，滿菩提願。

釋提桓因譯作「能為天主」，略稱帝釋，因有廣大福德，能為欲界天裏的忉利天主。忉利天位在須彌山頂，廣八萬由旬，中間是善見城，是天主所居住的地方。旁邊四周還有三十二個天，總共有三十三天，故忉利天又稱三十三天。其實前來聽佛說法的天人非常非常多，舉出釋提桓因，只是作為天人的代表而已。

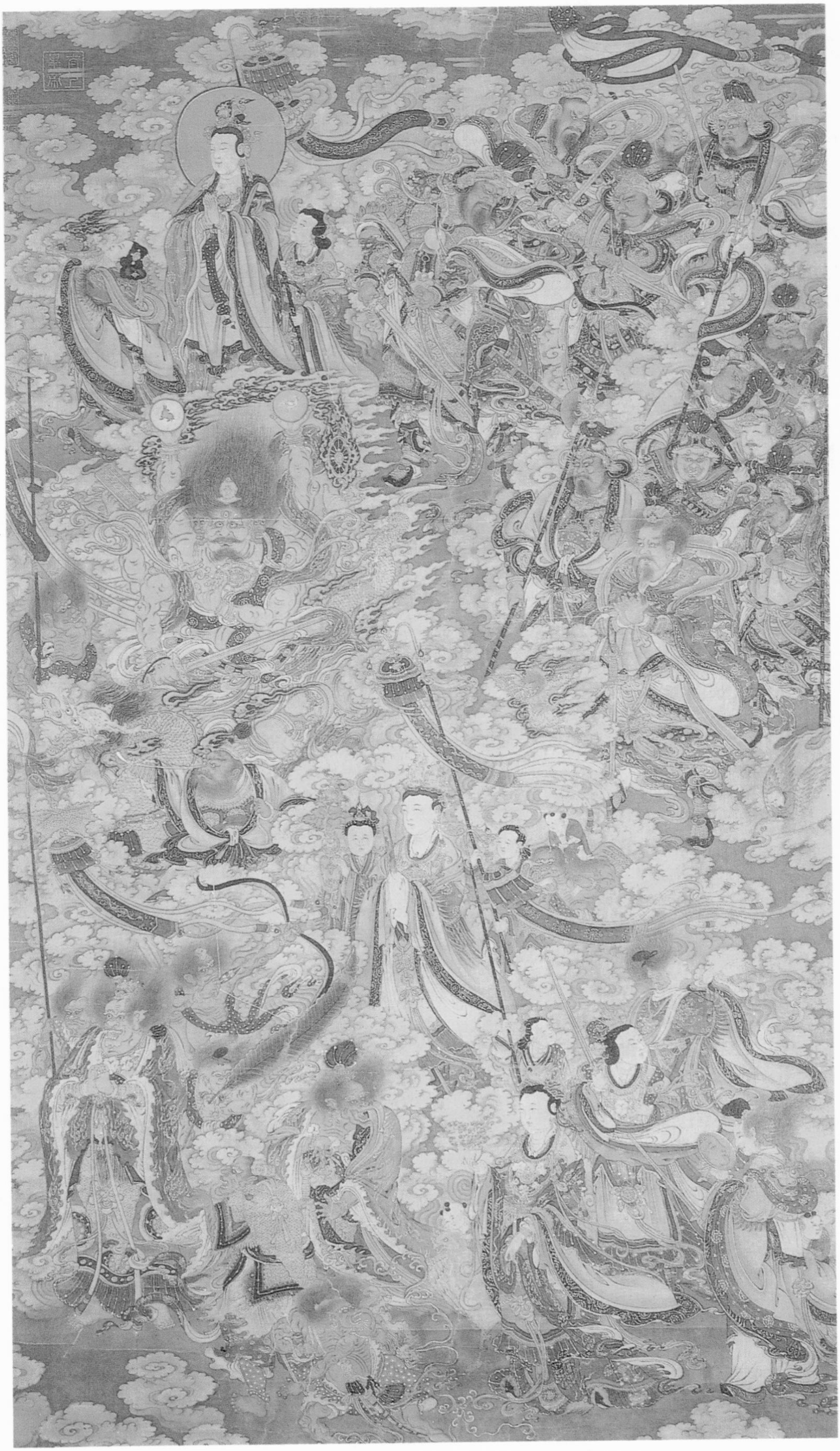

◉釋提桓因等無量諸天大眾聽法圖

◉諸菩薩聽經圖

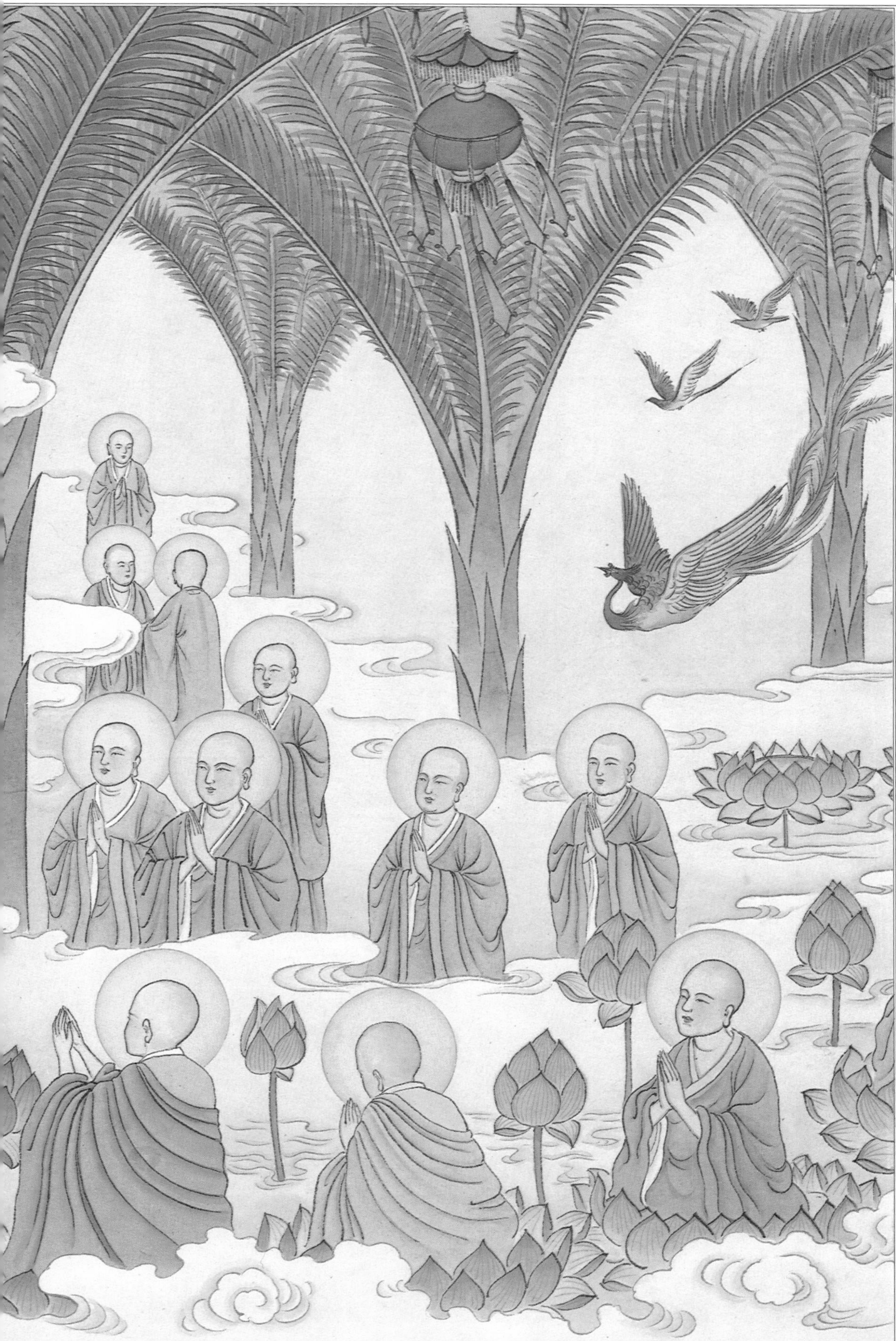

圖片解說

從我們這個娑婆世界向西經過十萬億個三千大千世界，有一個極樂世界，那裡有一位佛，名號叫「阿彌陀佛」，正在那裡演說甚深清淨微妙的佛法。

白話淺釋

當時，佛陀告訴長老舍利弗等大眾說：「從我們這個世界的西方，經過十萬億個佛土，那裏有一個世界，名叫極樂世界，在這世界中，有一位佛，名號爲阿彌陀佛，現在正在極樂世界，爲這世界的眾生宣說甚深微妙的佛法，令一切眾生皆能得到殊勝的利益安樂。」

補充說明

所有佛教的經典，在開頭都會先敘述說法因緣，然後接著因緣發起，譬如法華先有白毫放光，維摩先有毘耶示疾，圓覺金剛以及諸經，多因有問在先，然後佛才宣演佛法。但是，這部阿彌陀經是釋迦牟尼佛不請自說的，因為這部經開示念佛法門，能令衆生速超生死，如現有成藥，入口即活。如來慈悲

心切，見此善法良方，未待眾生殷勤啟請，即先速告眾生，為令信願眾生，速登極樂。還有，為什麼要獨獨對舍利弗說呢？實在是因為要能相信阿彌陀經，相信念佛往生法門，非大智慧者難以深信，而且必須是由智慧生的信，發的願，起的行，才能正信，弘願及大行。若無智慧，那便是迷信、私願和小行。所以釋迦牟尼佛始終都教我們要有般若智慧，方能證道；不能了解佛法，便是迷信，反增長愚痴。佛為「一大事因緣」出生於世，其目的便在於把他的知見告訴我們，要我們由此修行證悟他所悟到的，並進入他的知見。佛陀之所以告訴舍利弗，是因為在佛陀的諸大弟子中，舍利弗的智慧第一，這也意味著要我們能以智信、智願、智行來信解阿彌陀經，修行念佛法門。

二、佛土是一個三千大千世界，如果經過十萬億個佛土，可以想像那是多麼遙遠。土，乃我們這個報身所依止之處，對眾生而言，離開土便沒有了立足點，若一切化為虛空，將無所依怙。佛陀善巧方便，開示淨土念佛法門，知道阿彌陀經已是難信之法，若連勸眾生往生的淨土也沒有個方位可依循，那麼眾生將更難以相信了，所以佛陀不得不指明「從是西方」的方位。目的就是要先引導眾生入淨土之門，等他對難信之法生出堅定的信心，悟達是心是佛，是心作佛之後，就自然知道無所謂的西方和東方了。其實十萬億佛土不離咫尺，原是我一念心中所現，自性彌陀，本具極樂，唯心淨土，何有遠近之分？若能真

心念佛，一心不亂，實相現前，親證本心，即生自心淨土，見自性彌陀，則極樂不離自心，誠如古德所言：「臨終西方境，分明在目前。」亦即臨終不亂一心，便是受生淨土之心，願學者深思其理。

◉阿彌陀佛淨土曼荼羅圖

在極樂世界裡的眾生，沒有一切的身心苦惱，只享受無量的清淨喜樂，所以叫做極樂世界。

佛陀又接著說：「舍利弗！那個世界因何緣故名爲極樂世界？這是因爲住在那個世界的眾生，皆是由蓮華化生，清淨自在，思衣得衣，思食得食，沒有一切身心憂苦，唯有無量的清淨喜樂，所以才名爲極樂世界。」

「舍利弗！我再詳細的告訴你們極樂世界的莊嚴。在這極樂世界淨土中，處處皆有七重行列的妙寶欄杆，七重無量的妙寶羅網，以及七重行列的妙寶樹林，這些由四寶所成的欄杆、寶網、樹林，從上下四周重重的圍繞著極樂世界，一眼望去，有如眾寶妙飾，光耀華麗，可令人常住清淨喜樂。極樂世界因爲有如是種種的莊嚴，所以才名爲極樂世界。」

極樂世界和我們這個娑婆世界最明顯的不同，就是在於「無有衆苦」與「但受諸樂」。怎麼說呢？娑婆世界又名堪忍的世界，住在這個世界的衆生要忍受種種無量的痛苦，而西方極樂世界剛好和我們相反，只有種種的殊勝妙樂，而無一絲一毫的苦事相雜。大家可以想想看，我們的苦是不是多得不得了，從生、老、病、死到愛別離、怨憎會、求不得、五蘊熾盛等苦，稱之八苦；此外尚有天災、地震、大風、大水、大火等苦。即使現在夫妻恩愛，兒女乖巧，錢勢充裕滿足，一切都很安全，但仍有一個「無常」的苦，因為這些曾經美好的事物，終歸要散滅的。然而，極樂世界裡就沒有前面所提的那些苦了，只有種種的快樂，有三樂、八樂，乃至無量諸樂。三樂是那三樂呢？一是清淨無累的快樂。因為沒有粗濁的身體，沒有欲愛的染，所以沒有身心「苦」的痛苦。二是依報、正報經常不壞的快樂。因為壽命無量，國土不壞，所以沒有「壞」的痛苦。三是正智不動的快樂。因為安住在真理，不生不滅，所以沒有「無常變遷」的痛苦。八樂呢？分別是一、蓮花化生樂，所以沒有十月胎獄的痛苦。二、相好莊嚴樂，俗語說：「寧知淨土春長在，不使身心晝夜忙」，在極樂世界裏的衆生，不會有形體衰老的苦惱。三、自在清泰樂。因為是清淨

之身，所以永離病患。四、壽命無量樂。因為與佛同壽，不生不滅，所以沒有死亡的痛苦。五、所欲如意樂。因為一切所求皆隨意念變化出來，所以沒有求不得的痛苦。六、海眾常聚樂。因為與無數的善人聚在一起，所以沒有世間的愛別離痛苦。七、上善俱會樂。極樂世界裡的人都是善人，彼此互相敬愛，所以沒有怨憎會的痛苦。八、身心寂淨的快樂。因為身常清淨，心恒寂照，所以沒有五蘊熾盛的痛苦。若依慈雲懺主詳述，將娑婆世界的苦，對照極樂世界的樂，約可列舉十種差別：一、此土有不常值佛之苦，彼土有華開見佛，常親近佛之樂。二、此土有不聞說法之苦，彼土常有眾鳥樹林宣揚法音之樂。三、此土有惡友牽纏之苦，彼土有諸上善人俱會一處之樂。四、此土有群魔惱亂之苦，彼土有諸佛護念，遠離魔事之樂。五、此土有輪迴不息之苦，彼土有橫截生死，永脫輪迴之樂。六、此土有三惡道之苦，彼土無惡道，有不聞惡道名之樂。七、此土有塵緣障道之苦，彼土有受用自然，不需經營之樂。八、此土有壽命短促之苦，彼土有壽與佛同無限量之樂。九、此土有修行退失之苦，彼土有入正定聚，永無退轉之樂。十、此土有佛道難成之苦，彼土有一生行滿，直至成佛之樂。以上這些對照說明，為令初學淨土法門的人，知苦識樂，生起信心，而離苦得樂。

總之，三界唯心，萬法唯識，一切的苦樂因果都是由各人自己所造的，像娑

婆眾生，由於念念顛倒，所以所感應的依、正兩報環境都污穢不淨，繼而生出五濁眾苦。然而，極樂世界裡的眾生，則因為心心正念，所以所感應到的依、正二報皆是清淨，故有無量種種的法喜安樂。在這裡，釋迦牟尼佛之所以提出極樂國土的眾樂與娑婆世界的眾苦作為比較，目的便是希望引我們生起「欣彼淨樂，厭此濁苦」的心。只要我們能升起這樣子誠懇的心去念佛，念到一心不亂，將來就一定可以往生西方極樂世界，親證無量光明，無量壽的清淨喜樂。

欄楯就是欄杆，是由金、銀、琉璃、玻瓈等四寶做成的，羅網和行樹也是由四寶做成的。欄杆外繞行樹，寶網上覆行樹，重重圍繞，如是七重，重重無量，遍滿極樂世界，凡佛菩薩住處皆然，莊嚴無比。若深述之，七重欄楯、羅網、行樹的「七」，是表七道品，即四念處、四正勤、四如意足、五根、五力、七菩提分、八正道分，共有三十七道分。或有謂七是七覺支或七聖財，皆為修行的方法，可成就極樂世界莊嚴功德。四寶表四德，即常、樂、我、淨。欄楯表自性縱橫十方三際而無礙（橫木為欄，直木為楯）。寶網表自性包羅法界，行樹表自性長養諸善根，彼國表自性，自性本具一切無為功德，能生種種莊嚴樂境。極樂世界表法身境界，法身不可思議境界如同極樂妙境。

圖片解說

極樂世界裡處處皆是七寶蓮池和八功德水，以及種種美麗的大寶蓮花。住在這世界裡的多福眾生，可以常樂受用，消除煩惱過患，長養種種善根。

「舍利弗！在這極樂世界淨土中，處處皆有由七寶作成的妙寶池，池底全是以金沙鋪地，池中常年儲滿了八功德水。何等名爲八功德水？一者澄淨，二者清涼，三者甘美，四者輕軟，五者潤澤，六者安和，七者飲時能除飢渴等無量過患，八者飲已能增益種種殊勝善根。極樂世界的眾生，福德殊勝而常飲用此功德寶水，清涼沁心，長養善根，消除煩惱。寶池的四邊，有四通八達的階道，都是金、銀、琉璃、玻瓈所成的；並且還有許多妙寶樹，一行一行整齊的排列著，香氣芬馥，清淨莊嚴。池階的上面，有七寶莊飾合成的樓閣，和寶池中大如車輪的蓮華互相輝映著。周遍極樂世界的眾寶蓮華，一一寶華，有無量百千億葉，所有蓮華大如轉輪聖王的車輪，並且有青色、黃色、赤色、白色等多種顏色，放出青光、黃光、赤光、白光等無量的光明，耀眼繽紛，微妙香潔，令人愛樂。」

七寶指的是金、銀、琉璃、玻瓈、硨磲、赤珠、瑪瑙，此表極樂世界的殊妙莊嚴，是方便比喻，為令眾生欣慕，若詳述之，極樂世界實由無量眾寶嚴飾而成，即自性本具的無量功德法財。

西方極樂世界的「八功德水充滿其中」是很有意思的。首先，為什麼要稱作「功德」水呢？因為它具有八種不可思議的妙用，和我們這個世界的水有很大的差別。是那些差別呢？首先，我們這世界的水總是遇擾則昏，逢濁則濁，不同那裡的恆常澄淨。二、我們是日曬則暖，火煎即熱，不像那裡的恆常清涼。三、我們是近海則鹹，積久則臭，不像那裡能恆常甘美。四、我們是遇壅則滯，逢寒則凍，沒有那裡的恆常輕軟。五、我們是混雜則變，酷旱則枯，不同那裡的恆常潤澤。六、我們是大雨則泛，暴流則兇，不像那裡是恆常安和。七、我們是食多則脹，浸久則病，不像那裡既能止渴又能除飢。八、我們這裡的水有時還會淹死人，破壞我們的家園，不像那裡的水，只會增長養育我們的善根。更妙的是寶池中的水是時常充滿在寶池中的，絕不會有乾涸或泛濫成災的事情發生。此外，這寶池的功德水還有三種妙用：一、能隨人意。八功德水，湛然盈滿，清淨香潔，諸上善人，入七寶池，澡雪身體，意欲令水沒

足，水即沒足，欲令至膝、至腰、至腋、至項及灌其身，悉如其意，欲令還復，水即還復，調和冷暖，無不順適，開神悅體，蕩滌心垢，清明澄潔，淨若無形。二、水能說法。微瀾迴流，轉相灌注，不遲不疾，安祥徐逝，波揚無量，自然妙聲，稱念佛聲，或念法聲，或念僧聲，寂靜聲，無我聲，波羅蜜聲，乃至眾妙聲，稱其所欲，無不令聞者發清淨心成熟諸根，永不退於無上菩提。三、浴畢進道。既皆浴已，或坐於蓮花之上，有講經者，誦經者，授經者，聽經者，思道者，坐禪一心者，經行念佛者，有在虛空講經者，乃至坐禪經行者，各隨其質而有所得，未得四果者，能得四果；未得不退轉地菩薩，能得不退。因此極樂寶水，實有無量功德，並非只有八功德水。水本無情，卻有不可思議的功德妙用，由此可見極樂世界之殊勝功德莊嚴。

極樂世界有各式各樣的妙寶樓閣，是專為往生的諸上善人所設的居住之所。大部份時間供聚會說法之用，偶而亦可以作為遊玩或休息之用。求生到極樂世界的人通常都是先在寶池中的蓮花中靜修，等到蓮花一開，就可以登上岸上居住在四邊的樓閣之中，加入法會行列，見佛聽法了。蓮華表本來清淨的自性，念佛眾生能清淨離垢，如蓮華出污泥而不染。為什麼極樂世界裡的寶池中會有那麼多的蓮花呢？這是因為極樂世界的眾生沒有淫欲，所以不受父母胞胎，全部都是由蓮花化生出來。十方世界的眾生只要聽說淨土法門，能夠相信

並且精進念佛者，在極樂世界的七寶池中，就會立刻生出一朵蓮蕊。如果念佛人能夠繼續精進不退轉，那麼這朵蓮花就會越長越大，等到臨終時一心不亂，就便可以往生西方極樂世界，托生在蓮花中，稱為蓮花化生。等到花開見佛，就可以聽佛說法，這就是一般常聽到的「願生西方淨土中，九品蓮花為父母」。往生淨土的眾生，為什麼都具備清淨莊嚴的蓮花化身相而不受胞胎之身？因為這些眾生常聞佛法，漸入佛道，不生邪見、煩惱、戲論，能得心清淨，故得果報身清淨（相由心生），三十二相、八十種隨形好莊嚴其身。以身心清淨故，破諸虛誑取相之法，受法性生身，所以常得莊嚴化身，不受胞胎之身。並以此化身相往返十方諸佛世界，供佛報恩，廣度眾生，直至成佛，方入涅槃。往生淨土，便能使你不再遭受胞胎輪迴之身，一心發願往生淨土的佛弟子，如果到現在對「一世超生」還沒有把握，便應該時時反省自己平時將心念放在何處？若是到了生病或臨死前，才知道念佛，可能為時已晚，後悔莫及。此外，為何經上要說蓮花大如車輪呢？因為車輪具有「運轉」之義，表示七寶蓮花，可以從空中飛到十方世界去「運」載念佛眾生往生到西方極樂世界，「轉」凡成聖啊！

圖片解說

極樂世界的七寶蓮池裡，有各色各光的大蓮花；虛空中更是不停的傳來美妙的天樂，音曲和雅，甚可愛樂。

「舍利弗！這些極樂世界的種種莊嚴，皆是阿彌陀佛的慈悲願力所成就的功德。」（極樂世界的蓮華不是由蓮藕長出來的，若有眾生念阿彌陀佛名號，極樂世界的七寶池中就會生出一朵蓮華；假如有十方眾生念阿彌陀佛名號，七寶池中就會長出十方眾生的蓮華。念佛越精進，蓮華就長得越大；若是念佛心退了，蓮華就會跟著枯萎消失。）

「舍利弗！阿彌陀佛的極樂淨土，天空常演奏著眾妙天樂，曲音和雅，令人喜樂。極樂世界的眾生聞此妙音，皆能消滅諸惡煩惱，逐漸增長無量善法，而速證無上正等正覺。」

極樂國土是阿彌陀佛在因地修行的時候，在世自在王佛前發了四十八個大願，然後勇猛勤修菩薩行所成就的莊嚴世界。正因為有這樣的大願，這樣的修行，所以才可能成就圓滿的功德和莊嚴的世界。在阿彌陀佛的第三十三願上面說：「願我作佛時，自地以上至於虛空，皆有宮殿、樓閣、池流、華樹，國土所有一切萬物，悉以無量衆寶，百千種香，而共合成，嚴飾奇妙，超諸天人。」（即國土嚴飾願也）若深論之，功德在自性法身中，彌陀無量願行不離自性，以自性能生萬法，還以萬法莊嚴自性，即如是功德莊嚴。

極樂世界的天樂不同於我們凡間的音樂，它美妙的程度絕非人世間任何絲竹樂器的聲音所可以比擬的，而且於晝夜六時，自然常有萬種天樂法音，清暢和雅，皆是念佛、法、僧之音，能令聞者念三寶。經文中舉極樂世界的五塵勝境，以供往生極樂衆生的五根受用；天樂之聲塵由耳根受用，金地之色塵由眼根受用，天華之色香二塵由眼鼻受用，散華經行之觸塵由身根受用，飯食之味塵由舌根受用，而水鳥風樹演法也是聲塵。極樂世界有天樂鳴空，黃金嚴地，天華繽紛，誠不虛極樂妙境之名。

阿彌陀佛，於世自在王佛時，作大國王，聞佛說法，心懷悅豫，尋發道意，棄國捐王，行作沙門，號曰法藏，於世自在王佛前發四十八願，以此廣大願行，成就如是功德莊嚴的極樂世界：

一、設我得佛，國有地獄、餓鬼、畜生者，不取正覺。

二、設我得佛，國中天人，壽終之後，復更三惡道者，不取正覺。

三、設我得佛，國中天人，不悉真金色者，不取正覺。

四、設我得佛，國中天人，形色不同，有好醜者，不取正覺。

五、設我得佛，國中天人，不識宿命，下至知百千億那由他諸劫事者，不取正覺。

六、設我得佛，國中天人，不得天眼，下至見百千億那由他諸佛國者，不取正覺。

七、設我得佛，國中天人，不得天耳，下至聞百千億那由他諸佛所說，不悉受持者，不取正覺。

八、設我得佛，國中天人，不得見他心智，下至知百千億那由他諸佛國中衆生心念者，不取正覺。

九、設我得佛，國中天人，不得神足，於一念頃，下至不能超過百千億那由他諸佛國者，不取正覺。

十、設我得佛，國中天人，若起想念、貪計身者，不取正覺。

十一、設我得佛，國中天人，不住定聚，必至滅度者，不取正覺。

十二、設我得佛，光明有能限量，下至不照百千億那由他諸佛國者，不取正覺。

十三、設我得佛，壽命有能限量，下至百千億那由他劫者，不取正覺。

十四、設我得佛，國中聲聞，有能計量，乃至三千大千世界衆生，悉成緣覺，於百千劫，悉共計校，知其數者，不取正覺。

十五、設我得佛，國中天人，壽命無能限量。除其本願，修短自在。若不爾者，不取正覺。

十六、設我得佛，國中天人，乃至聞有不善名者，不取正覺。

十七、設我得佛，十方世界無量諸佛，不悉咨嗟稱我名者，不取正覺。

十八、設我得佛，十方眾生，至心信樂，欲生我國，乃至十念，若不生者，不取正覺。惟除五逆，誹謗正法。

十九、設我得佛，十方眾生，發菩提心，修諸功德，至心發願，欲生我國，臨壽終時，假令不與大眾圍繞現其人前者，不取正覺。

二十、設我得佛，十方眾生，聞我名號，繫念我國，植眾德本，至心迴向，欲生我國，不果遂者，不取正覺。

二十一、設我得佛，國中天人，不悉成滿三十二大人相者，不取正覺。

二十二、設我得佛，他方佛土諸菩薩眾，來生我國，究竟必至一生補處。除其本願，自在所化。為眾生故，被宏誓鎧。積累德本，度脫一切。遊諸佛國，修菩薩行。供養十方諸佛如來。開化恒沙無量眾生。使立無上正真之道，超出常倫諸地之行，現前修習普賢之德。若不爾者，不取正覺。

二十三、設我得佛，國中菩薩，承佛神力，供養諸佛，一食之頃，不能徧至無數無量億那由他諸佛國者，不取正覺。

二十四、設我得佛，國中菩薩，在諸佛前，現其德本，諸所求欲供養之具，若不如意者，不取正覺。

二十五、設我得佛，國中菩薩，不能演說一切智者，不取正覺。

二十六、設我得佛，國中菩薩，不得金剛那羅延身者，不取正覺。

二十七、設我得佛，國中天人，一切萬物，嚴淨光麗，形色殊特，窮微極妙，無能稱量。其諸衆生，乃至逮得天眼，有能明了辯其名數者，不取正覺。

二十八、設我得佛，國中菩薩，乃至少功德者，不能知見其道場樹，無量光色，高四百萬里者，不取正覺。

二十九、設我得佛，國中菩薩，若受讀經法、諷誦持說，而不得辯才智慧者，不取正覺。

三十、設我得佛，國中菩薩，智慧辯才，若可限量者，不取正覺。

三十一、設我得佛，國土清淨，皆悉照見十方一切無量無數不可思議諸佛世界。猶如明鏡，覩其面像。若不爾者，不取正覺。

三十二、設我得佛，自地以上，至於虛空，宮殿、樓觀、池流、華樹，國土所有一切萬物，皆以無量雜寶、百千種香，而共合成，嚴飾奇妙，超諸人天。其香普熏十方世界，菩薩聞者，皆修佛行。若不爾者，不取正覺。

三十三、設我得佛，十方無量不可思議諸佛世界衆生之類，蒙我光明觸其身者，身心柔軟，超過天人。若不爾者，不取正覺。

三十四、設我得佛，十方無量不可思議諸佛世界眾生之類，聞我名字，不得菩薩無生法忍，諸深總持者，不取正覺。

三十五、設我得佛，十方無量不可思議諸佛世界，其有女人，聞我名字，歡喜信樂，發菩提心，厭惡女身，壽終之後，復為女像者，不取正覺。

三十六、設我得佛，十方無量不可思議諸佛世界諸菩薩眾，聞我名字，壽終之後，常修梵行，至成佛道。若不爾者，不取正覺。

三十七、設我得佛，十方無量不可思議諸佛世界諸天人民，聞我名字，五體投地，稽首作禮，歡喜信樂，修菩薩行，諸天世人，莫不致敬。若不爾者，不取正覺。

三十八、設我得佛，國中天人，欲得衣服，隨念即至，如佛所讚應法妙服，自然在身；若有裁縫、擣染、浣濯者，不取正覺。

三十九、設我得佛，國中天人，所受快樂，不如漏盡比丘者，不取正覺。

四十、設我得佛，國中菩薩，隨意欲見十方無量嚴淨佛土，應時如願，於寶樹中，皆悉照見，猶如明鏡覩其面像。若不爾者，不取正覺。

四十一、設我得佛，他方國土諸菩薩眾，聞我名字，至於得佛，諸根缺陋，不具足者，不取正覺。

四十二、設我得佛，他方國土諸菩薩衆，聞我名字，皆悉逮得清淨解脱三昧，住是三昧，一發意頃，供養無量不可思議諸佛世尊，而不失定意。若不爾者，不取正覺。

四十三、設我得佛，他方國土諸菩薩衆，聞我名字，壽終之後，生尊貴家。若不爾者，不取正覺。

四十四、設我得佛，他方國土諸菩薩衆，聞我名字，歡喜踊躍，修菩薩行，具足德本。若不爾者，不取正覺。

四十五、設我得佛，他方國土諸菩薩衆，聞我名字，皆悉逮得普等三昧，住是三昧，至於成佛，常見無量不可思議一切諸佛。若不爾者，不取正覺。

四十六、設我得佛，國中菩薩，隨其志願所欲聞法，自然得聞。若不爾者，不取正覺。

四十七、設我得佛，他方國土諸菩薩衆，聞我名字，不即得至不退轉者，不取正覺。

四十八、設我得佛，他方國土諸菩薩衆，聞我名字，不即得至第一、第二、第三法忍，於諸佛法，不能即得不退轉者，不取正覺。

圖片解說

往生極樂世界的眾生受用種種清淨佛土大乘法樂，日夜六時親近供養阿彌陀佛，並且遊歷十方無量世界，供養諸佛，於諸佛所，各以無量寶華，持散供養，然後回到極樂世界。

「極樂世界的下方大地是以黃金爲地，觸踏柔軟，平平坦坦，金光閃耀，一望無涯，並有無量無邊的妙寶嚴飾其間，光明壯麗。上方天空晝夜不停的飄下曼陀羅花，以及種種奇妙的花朵，彩色光澤，細緻香潔，令人見觸，身心適悅而不貪著，能增長不可思議的功德善根。極樂世界的眾生，常常在清晨時，各以用布做成的花囊香袋，裝著許多香潔妙花，前去供養阿彌陀佛，並且承佛威神力，飛至他方無量世界，供養他方十萬億佛，直到吃飯的時候，才回到極樂世界。吃飯以後，便在寶池寶樹間自在逍遙的漫步調心，靜靜的聽那天樂與眾鳥演唱的法音。以上這些勝妙莊嚴，皆是由阿彌陀佛無量的願行功德所成就的。」（往生彼國的眾生，吃飯所用的鉢，都是眾寶所成。百味飲食，各如所願，隨各人的食量，不多不少，自然而生。吃了以後，自然消化，沒有遺滓。或者見色聞香，意以爲吃飯，也能自然飽滿，更不生貪著，身心輕便愉快。）

補充說明

曼

曼陀羅是天花之名，譯為適意，妙好，因為此花色香殊勝，最適悅人意之故。極樂世界晝夜不停的從天而下曼陀羅花，散諸菩薩聲聞大眾身上。這些天花不須人工栽培或灌溉，會自然結蕊開花，不僅顏色燦爛，香味幽遠，而且在空中散開時，還會放出極美麗的色彩和撲鼻的芳馨香味，絕非人間的名花可以相比。講到散花，在維摩詰經中有一段有趣的故事：有一次文殊菩薩帶領菩薩二乘天人等去探望維摩詰居士，當二人說法說到默然時，天女皆來散花，花落到菩薩身上時都自然掉落地上，但是落在小乘學人的身上時卻黏住了，摘都摘不下來，為什麼呢？因為二乘人尚執著一個「空」，仍有法執，既然有所著，於是天花落於身上時，便會黏在身上；若無所著，花自然飄落而不附著。眾生持華供佛，依理深述，表以願行為因，自性開覺為花，莊嚴極樂為果。自心本含萬德，還以萬德莊嚴自心，如此通達無生，照見自性，即是供養如來。

在

在極樂世界裡的眾生，吃飯不像我們這樣麻煩，不需煮飯，只要時間到了，該吃飯了，自然美食當前，任君食用，食後也無需洗碗筷等。「經行」指的是遶行，即循環往復的走動，尤其在吃飽後稍作經行是很有益處的，所謂「飯後百步走，活到九十九」。平常我們吃飽飯便懶於行動，不是坐，就是躺

著休息，事實上，能在吃飽飯後散散步，不僅有助消化，身體也會更健康。況且散步時亦可隨時不忘念佛或檢點自心，既可調身，又可調心，一點也不浪費時間。

若顯理論之，「天樂」表定慧和融，「黃金」表自性不壞常真，「天雨妙花」表自性開覺，「盛花供佛」表莊嚴自性功德，「他方」表隨緣妙用，「十萬億佛」表自性無量周遍法界，「食時還到」表自性自空而無來去，「本國」表自性常住，「飯食」表長養慧命，「經行」表入如來行處。

圖片解說

在極樂世界裡，眾色光澤的曼陀羅花不停的從天而降，香潔柔軟，令觸見者身心適悅，並可增長無量的善根功德。那裡的眾生便用衣襟將天上掉下的花盛起，以供養十方億萬諸佛。

「舍利弗！極樂世界還常常有許多各色各樣，稀奇可愛的鳥，如白鶴、孔雀、鸚鵡、舍利（鶖鷺）、迦陵頻伽（妙音鳥）、共命鳥（有兩個頭和兩個心識合成一個身體的鳥）等等，這些奇妙的鳥，常於日夜不斷的唱出和樂優雅的音聲，並且隨其音聲還能宣流出甚深微妙的佛法，如五根、五力、七菩提分、八聖道分等無量修行妙法。極樂世界的衆生，聞到了衆鳥演說的法音，自然都會發出精進修行的道心，心生喜樂的念佛、念法、念僧，各得無量的功德，熏修其身心。」

「舍利弗！你不要以爲這些鳥，實是罪業報應而轉生的，爲什麼呢？因爲在極樂世界沒有三惡道（地獄、餓鬼、畜生），那裏連三惡道的名稱，尚且都還聽不到，怎麼會有眞實的惡道呢？」（鳥是屬於畜生道，畜生是罪報而生的，極樂世界的衆生都是念佛往生的，不是由罪報而生的。）「這些衆鳥其實皆是因爲阿彌陀佛的願力，爲了要使法音宣揚普及，讓該世界所有衆生都能得法益安樂，所以才以不可思議神力，變化出這些鳥來協助說法。」

極樂世界衆鳥晝夜不停的演揚宣暢無量的入道之法，令聞者皆能稱念三寶（佛、法、僧）的功德，而得正法樂。極樂世界的鳥音説法，此經僅列二十五道品，實可廣説三十七道品。大智度論云：三十七品無所不攝，即無量道品亦在其中。道為通達之義，即修行的方法，品是種類，三十七道品即三十七種達到明心見佛的修行方法，隨衆生因地所修，機見不同，互有出入，而無定法；然證大證小皆各有所得，誠為成就法身慧命的法藥良方。下面分別説明：

一、四念處：三十七道品中之第一行品，以智觀境，證達真理的四種修行方法。以觀身不淨、受是苦、心無常、法無我，次第對治淨、樂、常、我等四個顛倒妄想，安住心念於真理。

二、四正勤：三十七道品中之第二行品，精勤斷惡生善的四種修行方法。即已生之惡，精勤令斷；未生之惡，精勤不令生；已生之善，精勤令增長，未生之善，精勤令生。

三、四如意足：三十七道品中之第三行品，由欲、念、精進、觀照等四法之定力，發起攝心禪定神通，能斷煩惱，能滿所願，故名如意足。因有足能往，能

得能證世間勝法，又名四神足。欣慕極樂淨土者，決定往生（欲如意足），念念不捨菩提行願（念如意足），精進不退而得圓證（精進如意），深入佛智而極樂自在（智慧觀照如意足）。

四、五根：三十七道品中之第四行品，指能保護和生長一切善法的根本，而且對於降伏煩惱，引入聖道具有增上作用的五個根本修行方法。有根才能生長，才能開花結果，有根才能護持枝葉不致枯萎，或不被風雨摧折，所以五根是表示五個修行基礎：(1)信根即深信三寶之一切真諦道理，不被邪惑動搖。(2)進根即勇猛精進勤修善法，不被懈怠動搖。(3)念根即憶念正法而無他念，不被妄念動搖。(4)定根即攝心於正法而不散失，不被散亂動搖。(5)慧根即由定中觀照而智慧現前，不被愚癡動搖。修行之人雖善芽已發，然根未生，今修此五法使生善根，實為修行之紮根基礎。

五、五力：三十七道品中之第五行品，修行者五根的基礎紮實之後，以五根能增長道力，漸漸能生功德，趣入菩提，如根能生枝葉花果一樣：(1)信力即信根增長得力，令念佛人信彌陀極樂莊嚴真實不虛，發心念佛，決定往生。(2)進力即進根增長得力，令念佛人，精進念佛，決定往生。(3)念力即念根增長得力，令精進念佛人，心心彌陀，念念極樂，不生他念，決定往生。(4)定力即定根增長得力，一心不亂，如入禪定，決定往生。(5)慧力即慧根增長得力，令入定念佛人，觀悟真理，成就智慧，即心作佛，即心是佛。這五種法有破惡之

力，修行者必須具足五力，才能解脫生死。

六、七菩提分：三十七道品中之第六行品，又稱為七覺支，菩提是覺的意思，支就是分，此即由前五根力而得的七種真實覺智，於一切善法，能隨宜擇用：(1)擇法覺分，以智慧觀法時，善能覺察真偽，不致錯用邪偽之法。今於無量法中，宜擇念佛一法，最為穩當。(2)精進覺分，擇用真正道法之後，精進修行，善能覺察，不致錯修無益苦行。(3)喜覺分，精進修道，住於正法而生法喜時，善能覺察，不隨顛倒之法而喜。(4)除覺分，於斷除諸見煩惱時，善能覺察，斷除虛偽煩惱，增長智慧善根，使身心輕快安適，又名輕安覺分。(5)捨覺分，斷除諸見煩惱時，善能覺察所捨之境，虛偽不實，永不追憶。(6)定覺分，於修行時，若生禪定境界，善能覺察，諸禪虛假，非真實定，不生愛見樂耽。(7)念覺分，於修行時，善能覺察，定慧不可偏重，常使定慧均平。若心沈沒低悶，可用擇法、精進、喜等三種覺智來對治提起。若心浮動不安，可用除、捨、定等三種覺智來對治攝伏。務必調和其心，念念適中，使定慧均平。（定勝慧則沈，慧勝定則浮。）

七、八聖道分：三十七道品中之第七行品，又稱八正道分，指八種超凡入聖，解脫涅槃的途徑，即以前擇法覺智為主體，六覺智為助用，證覺法性，趣入涅槃，故名正道：(1)正見，以擇法智眼觀真諦道理，而恒住正見，修清淨行，不

落生死煩惱邪見。此無漏行觀，慧眼分明，見理正確，名為正見。(2)正思惟，既見真諦道理，思惟相應，以智行真諦觀，覺知真諦境，為令觀智增長，斷惑證真，入大涅槃，名正思惟。(3)正語，以無漏智，修一切口業，不妄言、綺語、惡口、兩舌，而住於一切善語正語中，名為正語。(4)正業，以無漏智攝身於一切清淨正業中，去除殺盜淫等一切不正之身業，安住身業於正行中，名為正業。(5)正命，清淨身口意業，順於正法而活命，遠離一切邪命，住於清淨正法，名為正命。（經云五種邪命：為利養活命詐現奇特相，為利養活命自說功德，占相吉凶為人說法以求利養活命，高聲現威令人敬畏以求利養活命，說得供養功德以動人心而求利養活命。）(6)正精進，以三業清淨，勤行精進，相應無漏智慧，趣涅槃道，名正精進。(7)正念，以無漏智慧斷除一切妄念，一心專念菩提正道之法，與萬行莊嚴等助道之法，而念無漏失，名為正念。(8)正定，以無漏智慧攝諸散亂，相應入定，遠離一切有漏邪定，住於真理，決定不移，名為正定。八正道法又名八正俱菩薩道，能令修行者，離一切邪見，捨諸妄分別心，隨順一切智，善入菩薩不可思議解脫門，於一三昧中，出入一切三昧，深玄難測。

佛、法、僧稱為三寶，能令人離生死苦，得涅槃樂，是世間、出世間最為尊貴難遇之寶。佛稱兩足尊，福慧具足圓滿，能為衆生開示一切妙法。法稱

離欲尊，能令眾生離一切欲苦煩惱，轉迷成悟，解脫生死。僧稱眾中尊，僧是人天師表，眾生道範，成就自利利他的功德。極樂眾鳥常演暢一切法音，清亮有力，善能開導眾生，令念三寶，發菩提心，此為阿彌陀佛不可思議願力所成就的。往生極樂世界的眾生，常聞眾鳥稱讚佛德法音，悟得清淨本心，常住佛性，即是念佛。極樂鳥音常演說三十七道品，廣至無量道法，令眾生聞者，解入深義，覺悟自性本具無量道法，得法味樂，即是念法。極樂眾生常與諸菩薩等一切善知識同聞法音，共修道法，能證理事無礙，自性不二，智行和合圓融，即是念僧。常念三寶能證自性本具之三德：佛即法身德，自性不變；法即般若德，寂而常照；僧即解脫德，寂照不二。故知圓念三寶，自可圓發三心，念佛寶則正因理心佛性發，念法寶則了因慧心佛性發，念僧寶則緣因善心佛性發。三心圓發，則三惑圓斷，自然圓證三不退。

極樂世界皆以眾寶莊嚴，一切眾生思食食至，思衣衣來，所求如意，則貪從何起？極樂世界皆是菩薩及諸上善人，合和同修，法喜同證，則瞋從何起？極樂眾生恒聞妙法，心常了悟，如實自在，則癡從何起？既無貪瞋癡惡因，如何感報三惡道苦？所以極樂國土無三惡道，自性清淨無諸煩惱。阿彌陀佛欲令法音普周世界，故不獨以人說法，另化眾鳥及至微風樹網等一切六塵之境，助說妙法，令極樂眾生隨時隨地皆能聞法，不離自性三寶。

圖片解說

在極樂世界裡，阿彌陀佛變化出各種珍禽，晝夜六時，唱出和雅的音聲，隨其妙音宣揚佛法。眾生聞是音已，各得念佛、念法、念僧，無量功德，熏修其身。

「不僅如此，極樂世界還常有輕柔溫煦的微風，吹拂著眾寶樹及寶羅網，自然發出種種的美妙的音聲，彷彿有百千種樂音，同時在交響合奏的演說種種佛法。極樂世界的眾生聽到了這些美妙的法音，自然皆會生起念佛、念法、念僧的心，精進修行，成就無量功德。舍利弗！極樂世界有如是種種無量無邊，不可思議希有的功德莊嚴，皆是由阿彌陀佛的廣大行願所成就的，假使經百千萬億劫，以無量的音聲，讚歎阿彌陀佛的殊勝功德，也說不完。」

其實這個娑婆世界的衆生，耳根最利，所以在觀世音菩薩的耳根圓通章裏，就很重視耳根的修行法門。其實萬法唯心，要是我們也能做到心無遮障，那麼「溪聲盡是廣長舌，山色無非清淨身」又豈困難？像古時候就有許多大德，如禪宗的參話頭或棒喝，一個聲音就能使根機犀利的人悟道，甚至一些突如其來的聲音，也能使人悟道。我們的聞性遍滿虛空，只因雜染塵緣障閉了聞性。而在極樂國土的衆生，因為福德因緣俱足，隨時有衆鳥、行樹及寶羅網以微妙音聲演說佛法，所以自然時刻不離於佛、法、僧。若深述之，「微風吹動諸寶行樹」表智照法理，智周法界如「風」，理含萬法如「樹」，「百千種樂同時俱作」表理智交融，會歸一心於自性之佛、法、僧。即是正智般若周遍法界，無有障礙，所以西方水鳥網樹皆能說法，乃至虛空法界皆能說法。誠以證覺自性，心無生滅，等同虛空，全體即自，物即自心，如此法界一相，即是如來平等法身，亦即極樂般若而自在無礙。

在極樂世界裡，就連諸寶行樹及寶羅網等，在微風的吹拂下，也能發出種種美妙的法音，讓聽者能自然生起念佛、念法、念僧的心，成就無量的功德。

圖片解說

阿彌陀佛成佛以來，已經十劫，恒放無量無邊妙光，遍照十方一切佛土，施作佛事，無有障礙。

白話淺釋

「舍利弗！你們知道嗎？西方極樂世界這位佛，爲什麼叫做阿彌陀佛？因爲這位佛恒放無量無邊殊勝的光明，能普照一切十方世界，沒有障礙，因此名號爲阿彌陀。」

補充說明

阿彌陀佛又稱無量光佛。原因是因為阿彌陀佛在因地修行的時候，曾經在世自在王佛前發了四十八大願，其中第十二大願說：「設我作佛時，光明若有限量，不徧照百千億那由他諸佛國，普勝諸佛光明，令彼十方衆生，觸此光明身意柔軟，罪垢滅除，命終皆得生我國者，不取正覺。」由於阿彌陀佛歷劫依願而修，所以才能成就此殊勝無盡的智慧光明，勝於十方諸佛。

佛的光明有三種：一、本光，是佛的法身光明，以法理為身，而法身遍窮法界，所以光明照真如法界而無量。二、智光，是佛的報身光明，以般若為身，為見性所現，亦普照法界而無量。三、身光，是佛的應身光明，以機緣為身，應機示現，遍照大衆。其實諸佛道同，無有差別，智徹性體，光照十方，皆可稱無量光。但以因中願力不同，隨因緣而各立別名。彌陀因中為法藏比丘時，曾發四十八願，有光明恒照十方之願，今已成就如願。由此可見是心是佛，是心作佛，諸佛正徧知海從心想生。

既然佛光可以普照一切十方世界，無所障礙，有人就會問：「為什麼我們都沒有看見呢？」其實不是沒有看見，而實在是因為我們被見思、塵沙、無明等三種煩惱所遮蔽住了，所以看不見。例如日光普照大地，盲者未嘗見之，豈可因不見故，妄說沒有光明呢？這是任何人都異口同聲所否認的。如果想要見到佛的光明的話，當趕快發心念佛，念到一心不亂，三昧現前，消滅一切煩惱翳，回復了清淨眼，佛光則可豁然見到！大勢至菩薩說：「憶佛念佛，現前當來，必定見佛」。由斯可知，佛身尚可得見，何況光明呢！總之，業障深重的衆生，雖然佛光現前亦不得見，若俱善根，加之信願真切，虔誠念佛，則如遠公（淨宗初祖）三次親見彌陀聖像，又何止光明呢？

阿彌陀佛及極樂世界的人民，壽命都是無量無邊阿僧祇劫，所以又叫無量壽佛。

白話淺釋

「不僅如此，這位佛的壽命，及往生極樂世界所有眾生的壽命，都是無量無邊而難以計算，因此名號為阿彌陀佛（無量壽佛）。舍利弗！阿彌陀佛成佛以來，到現在已經十大劫。」

補充說明

壽命即受命，佛有三身，亦有三壽命：(1)法身，以真如法理為身。真如不隔諸法，故名為受。然實無能所，以真如即諸法，諸法即真如，不隔無別，強指名以法性為身，而真如諸法實皆無始無終而無量無邊，故法身壽命亦無始無終而無量無邊。(2)報身，以智慧功德為身。覺智相應理境，故名為受。然亦無能所，以無智外真如為智所證，無真如外智能證真如，如空合空，似水投

水，智融真如，相應同如，強指名此智為報身，而今始智覺，有始無終，亦無量無邊，故報身壽命為有始無終而無量無邊。(3)應身，以因緣機感為身。諸佛以慈悲大智，為衆生作增上緣，令善根成熟衆生，感應見佛説法。衆生根機成熟，則感應隨現，若心退機息，則感應即退。應身以因緣為命，以衆生能感之因，赴諸佛能應之緣，因緣和合而感應道交，因緣別離則感應退滅，故有始有終，長短不等，有勝有劣，而有涅槃。總之，法身清淨，猶若虛空，既無體相，沒有始終。報身修成，智德圓滿，恒住應現，有始無終。諸佛道同，法報二身亦同，皆可名為無量壽。然應身壽命則隨佛本願與機緣而有不同。如釋迦生於人壽百歲時，願滅壽二十年，以補末劫衆生，故八十歲入涅槃，此為隨願。觀衆生機感已盡，應緣須滅，此為隨機。彌陀因中有願，佛及人民皆壽命無量，如今願成，故有無量壽之感應。今彌陀應身壽命以阿僧祇劫計算，有無量無邊阿僧祇劫之長久，此實指有量之無量，是形容非凡夫和二乘人的智慧所能夠算數的無量。而彌陀應身亦有涅槃，非同法報二身，為無量之無量。故極樂正法於無量劫後滅時，觀世音菩薩即補佛位，號普光功德山王如來，國名衆寶普集莊嚴，此佛壽命與正法，亦復無量。

極樂世界中，阿彌陀佛常有無量無邊的菩薩及聲聞弟子，皆是具足種種功德。

「極樂世界的阿彌陀佛有無量的聲聞弟子，數量多到無法計算，都是證得阿羅漢果，並且具足種種微妙功德的。同時，阿彌陀佛亦常有無量的菩薩弟子，數量也是多到無從計算。舍利弗！極樂世界阿彌陀佛還有無量的光明和無量的壽命，不僅如此，極樂世界的眾生亦有無量的壽命。同時，還有無量的聲聞和菩薩，皆是具足種種德行。只有極樂世界才能成就如此無量清淨殊勝的法緣，及種種不可思議的功德莊嚴。」

聞佛四諦聲教而悟道者，稱為聲聞。四諦是指苦、集、滅、道四種真實道理。苦諦是覺知生死實苦的真理，集諦是覺知見思煩惱招集諸苦的真理，滅諦是覺知斷集滅苦可得解脫的真理，道諦是覺知佛法正道可證涅槃的真理。聲聞依四諦理而修證，可分四果：初果須陀洹，已斷盡三界見惑，最長僅於人界天界中各往返七次，即十四生間必證得阿羅漢果。二果斯陀含，已斷欲界九品思惑之前六品，還要再來欲界受一次生死。三果阿那含，已斷盡欲界九品思惑之後三品，不再來欲界受生死之苦。四果阿羅漢，已斷盡三界見惑、思惑而入涅槃，不再受三界生死之苦。往生住在極樂世界的聲聞，皆是已發大乘心的阿羅漢，而非一般小乘聲聞。他們親近彌陀，終日聞法，當然速能由小證大，一生補處，未來成佛。

往生到極樂世界的人，皆不會退轉，而且常遊諸佛清淨國土，具足殊勝行願，正念增進，非常多人已證達一生即可補處成佛。

「又舍利弗！」佛陀加重語氣的說：「大眾要注意聽！凡是因爲念佛而往生到極樂世界的眾生，就永遠不會退轉其信願而墮落於六道中，而且常遊諸佛清淨世界，效法諸佛的殊勝行願，正念增進，將來決定必證佛位。現在極樂世界的眾生中，就有許多已經修到只要一生即可補處佛位的大菩薩，這種即將成佛的大菩薩，在極樂世界是數量多得無法計算。」

補充說明

阿鞞跋致譯成「不退轉」，往生極樂世界的衆生，皆能證三種不退，永了生死，畢竟成佛：一、位不退。一心不亂，證入「初住位」，斷見思惑，永不墮三界，既登聖位，見佛應身，證位不退。二、行不退。修行大乘，證入「十回向位」，斷塵沙惑，知法知機，能度衆生，永不墮二乘行地，不失菩薩之行，見佛報身，智行不退。三、念不退。念趣佛智，證入「初地位」，斷無

明惑，分證法性，永離空有二執，不失中道正念，見佛法身，得無生忍。極樂世界有五種殊勝因緣，令其衆生得不退轉：第一，一生到西方去，就為阿彌陀佛的大悲願力之所攝持。如大本彌陀經，法藏比丘說：「我作佛時，聞我名號，皈依精進，即得於諸佛法，永不退轉」。第二，生到西方去，常常在佛光照燭之中，使他的菩提心，只有增進，不會退轉。等於我們在日光的照燭之下，你絕對不會跌落到土坑裏去。第三，極樂世界，水鳥樹林，風聲樂響，皆能演暢法音，聞到這種法音，自然而然的就會增進念佛念法念僧之心，更不會退轉。第四，生到極樂世界，朝夕所相見而可以作為朋友的，都是些大阿羅漢以及諸大菩薩。更沒有邪魔外道來誘惑你，蠱弄你。也不會因衣食住，或眷屬間各種問題，使你生貪愛，動瞋恨而致墮落。第五，生到西方，做了極樂世界的人民，壽命長久，與阿彌陀佛一樣，除非你自己發願要到別個地方去度化衆生，不然，你永遠不會離開極樂世界的。由此可見，彌陀極樂淨土不可思議的功德妙用，乃至五逆十惡的衆生，若能臨終十念不斷，亦得帶業往生，雖居下品下生，亦能圓證三種不退，直到成佛。

一生補處即是等覺菩薩，只再一生便成佛果，如彌勒菩薩於釋迦佛之後，候補作佛；觀世音菩薩於彌陀正法滅盡，即補佛位。極樂世界的人民，凡已證三不退者，皆能在極樂候補十方世界，無量佛所之佛位。

圖片解說

在西方極樂世界裡，可以和許多具足無量功德莊嚴的大善知識（聲聞、菩薩）聚集一起，受用極樂世界無量功德莊嚴的大乘法樂，永不退轉，薰修無量行願，念念增進，速證佛果。

「舍利弗！若有眾生聞知極樂世界，有如是無量的功德莊嚴，就應當發願，往生到極樂世界去。」佛陀爲什麼勸人發願，往生到極樂世界呢？「因爲往生到極樂世界，便能與許多大善知識，無量的菩薩和阿羅漢，聚會在一起，薰修佛法，受用無量的功德法樂，並能增進無量的行願，永不退轉，進而成就無量的功德莊嚴，速證佛位。」

這是釋迦牟尼佛在說這部經時，特別勸告我們，希望我們能在聞到極樂國土的種種殊勝莊嚴之後，都發願往生極樂國土。為什麼呢？因為到西方極樂世界去，能夠和許多已生西方的諸大菩薩以及無量無數的阿羅漢，集會在一塊兒薰習佛法，或怎樣去十方世界化導眾生，你看這是何等的榮幸！

假如有人問，我們這娑婆世界，不也是有佛的佛國嗎？不錯，但是我們這國土裏，人和畜生雜居在一塊兒，又有餓鬼，地獄墮落的恐怖。人的本身大都懷著貪瞋痴與殺盜淫妄的惡心或惡行，使人不敢接近。有的世界，雖然沒有三惡道而純粹是人，但也未必都是善人。有的世界，雖然都是人，但不一定都是上善。唯有極樂世界有阿彌陀佛和文殊、普賢、觀音、勢至等濟人利世的大菩薩，還有許多一生補處的大菩薩，或不退轉的阿羅漢。今得往生安樂剎土，同參共友，直到補處成佛，這是非常殊勝的因緣，修淨業者應當把握。

圖片解說

念佛的人臨命終時，一心不亂，如入禪定，西方三聖將手持蓮臺，現其人前，慈悲加祐，接引往生極樂世界清淨佛土。

「舍利弗！要往生到極樂世界的眾生，必須有深厚的善根（虔誠念佛）福德（眾善奉行）因緣，才得如願往生。舍利弗！若有清淨信佛的善男子或善女人，聽說了阿彌陀佛的名號，和極樂世界無量無邊不可思議的功德莊嚴，便能生起信心，發願往生極樂世界，專心思惟，如實修行，持念佛號，若是持念一天，或是二天、三天、四天、五天、六天、七天而持念不斷，繫念佛號達到一心不亂，當此人臨命終時，阿彌陀佛便與極樂世界的諸大菩薩眾和大阿羅漢眾，顯現在他的面前，慈悲加祐，令他的心不迷亂顛倒，於命終時便隨佛菩薩眾，往生阿彌陀佛極樂淨土。舍利弗！我親見一心持念阿彌陀佛，念到一心不亂，若臨命終時，便能心不顛倒，即得往生阿彌陀佛極樂淨土，念佛法門有如此殊勝廣大的利益，所以才宣說這個既簡捷又美好，能令眾生離苦得樂的大事因緣，付囑你們，今後若有眾生聽到了我這些開示，就應當懇切的信受發願，並且如實修行，一心念佛，求生西方極樂佛土。」

往生極樂世界須具足善根福德因緣，持念佛號即是多善根多福德，即是發菩提心，是為生極樂之大因緣，是善中之善，福中之福。為何說持念佛號是善中之善？因為持念佛號是菩提正道，是多善根，是往生之因。因為一、凡夫於無量生死中持念佛號，由信能發大菩提心，求出生死，求生彼國。二、持念佛號，即生正念，能斷煩惱，降伏其心。三、持念佛號，明了諸法，不外一心，而知一念相應一念佛，念念相應念念佛。四、持念佛號，能得無生忍，出離三界，入一切智。五、持念佛號，能證三不退，趣入成佛之無上菩提。所以持念佛號是善中之善，為多善根。為何說持念佛號是福中之福？因為持念一句彌陀，則萬德俱備，六度齊修，即是往生之緣。若持念佛號，一心不亂，身心放下，則不起貪心（布施）；既無貪心，則不造惡（持戒）；無惡則不計人我是非（忍辱）；一心不亂，則不生顛倒妄念（禪定）；一心念佛，正念昭彰，自性分明，能斷愚痴（般若）。所以持念佛號已攝六度萬行，若六度圓滿，則福德具足，誠為福德中之大福德。

若一日…七日是假定之詞，若能真心念佛，利根者或是一日乃至七日，即可成就一心不亂。若鈍根凡夫念佛七日仍不能成就一心不亂，如二七日乃至七七日，或多年乃至盡形壽，能專念佛名，求生極樂，念念無間，也能證事持佛名一心不亂，如願往生，此實彌陀之本願力故，而不得不往生。

善男子善女人是指宿世或今生曾種善因，有修善法之一切衆生。若有人聞說彌陀聖號，深信西方實有極樂世界，阿彌陀佛現在說法，而發願往生彼國，能執持憶念佛號，無有間斷，如子憶母，無時暫忘，即為事持佛名一心不亂。由於理不離事，事能達理，便能了達是心作佛，即是事造之佛；是心是佛，即是理具之佛。以理具事造皆不出一念心性之外，故他佛全是自心，自心全是他佛；彌陀即我心，我心即彌陀。因此，阿彌陀佛即是我心理具，亦是我心事造。即以自心理具而事造萬德洪名，以為繫心之境。如此以心緣境，以境繫心，心境不相捨離，不令暫忘。悟明全境是心，全心是境，心境一如；全事即理，全理即事，理事圓融；則三昧現前，即為理持佛名一心不亂。

事持佛名以深信不疑，一心繫念，念念分明，更無二念，即以一念而除衆念，能斷見思惑，臨終感應身佛現前，伏我執者往生凡聖同居極樂土，斷我執者往生方便有餘極樂土。理持佛名以一心持念，念極而空，了知心外無佛所念，佛外無心能念，能所雙忘，心佛一體，念而無念，無念而念，分斷塵沙

惑無明，感報身佛現前，往生實報莊嚴極樂土。理事不二，持名成就，一心不亂，趣入中道，根本無明斷盡，感法身佛現前，往生常寂光極樂土。

◉西方三聖來迎圖

圖片解說

一切世界諸佛皆如釋迦牟尼佛一樣的在自己的世界裏，以其廣長舌相說法，讚歎阿彌陀佛極樂世界無量無邊不可思議的功德莊嚴。

「舍利弗！不僅我現在如此稱揚讚歎阿彌陀佛極樂世界無量無邊不可思議的功德利益，東方世界亦有阿閦鞞佛、須彌相佛、大須彌佛、須彌光佛、妙音佛，如是等無量諸佛，各於其國以廣長而能徧覆三千大千世界的舌音（這是諸佛三十二種相好之一，諸佛皆因多生多劫口業清淨，久積功德，所以成佛之後，感得廣長舌相。凡是諸佛舌根所到之處，即是他的法音所到之處，其舌根廣長能徧覆三千大千世界。），懇切誠實的勸告眾生說：『你們應當對於這稱讚阿彌陀佛不可思議功德，並且爲一切諸佛所攝受護念的經，確信受持而不要疑惑。』

舍利弗！南方世界亦有日月燈佛、名聞光佛、大燄肩佛、須彌燈佛、無量精進佛，如是等無量諸佛，各於其國示現廣長舌相，徧覆其所化導的三千大千世界，至誠眞實的勸告眾生說：『你們應當深信受持這部稱讚阿彌陀佛極樂世界不可思議的功德莊嚴，並且爲一切諸佛所護念的阿彌陀經，此乃一

切諸佛共所稱讚攝受的殊勝法門，若有眾生摯誠懇切的稱念阿彌陀佛名號，其功德利益無量無邊。』

舍利弗！西方世界亦有無量壽佛、無量相佛、無量幢佛、大光明、大明佛、寶相佛、淨光佛，如是等無量諸佛，各於其國示現廣長舌相，教化其三千大千世界的眾生，誠實懇切的告訴眾生說：『你們應當深信受持這部稱讚阿彌陀佛不可思議的功德，並且為十方一切諸佛所護念勸修的阿彌陀經。』

舍利弗！北方世界亦有燄肩佛、最勝音佛、難沮佛、日生佛、網明佛，如是等無量諸佛，各於其國示現廣長舌相，誠實的教化三千大千世界的眾生說：『你們應當相信受持這部稱讚阿彌陀佛不可思議的功德，並且為十方三世一切諸佛所讚歎護念的阿彌陀經。』

舍利弗！下方世界亦有師子佛、名聞佛、名光佛、達摩佛、法幢佛、持法佛，如是等無量諸佛，各於其國示現廣長舌相，誠實的教化三千大千世界的眾生說：『一切眾生，應當信受這部稱讚阿彌陀佛不可思議的佛土功德莊嚴，並且為十方諸佛讚歎護念的阿彌陀經。』

舍利弗！上方世界亦有梵音佛、宿王佛、香上佛、香光佛、大燄肩佛、雜色寶華嚴身佛、娑羅樹王佛、寶華德佛、見一切義佛、如須彌山佛，如是等無量諸佛，各於其國示現廣長舌相，教化三千大千世界的眾生，而誠實懇切的說：『一切眾生，皆應信受這部稱讚阿彌陀佛不可思議的佛土功德莊嚴，並且為一切諸佛所護念攝受的阿彌陀經。』

舍利弗！你們是否明白？這部經因何緣故，名為一切諸佛稱讚不可思議功德所護念經？舍利弗！若有善男子或善女人，聽到這部阿彌陀經之後，能夠深心信解，憶念不忘，如實修行，這些善男子或善女人不僅可聽到阿彌陀佛的名號，還可以聽到前面各方諸佛的名號，並且必蒙一切諸佛的護念攝受，不令退失（成佛之心）菩提心。所以舍利弗！你們都應當深信憶念我及諸佛所說的話，精進修行，勿生疑慮。

舍利弗！若是過去有人發願，或是現在有人發願，乃至當來有人發願要往生到阿彌陀佛的極樂世界，這些已發願、今發願、當發願的善男子、善女人，因為受持阿彌陀經而能信解發願實行，皆可得到諸佛的護念，所以一定不會退轉菩提心。凡是過去已經發願的人，一定已生到阿彌陀佛的極樂世

界。現今發願的人，現今就能生到極樂世界。當來發願的人，當來決定能生到極樂世界。因爲發願必定往生，舍利弗！一切深心信解阿彌陀佛極樂世界的善男子或善女人，就應該趕快發願念佛，往生極樂世界。」

補充説明

入道要門，信為第一，佛法大海，信為能入，佛能度一切衆生，不能度一切不信之人。而阿彌陀經以持名念佛，為一切世間難信之法，故六方諸佛共勸説：「汝等衆生，當信是稱讚不可思議功德、一切諸佛所護念經。」本師釋迦牟尼佛亦勸説：「汝等皆當信受我語，及諸佛所説。」歷代祖師無不叮嚀勸信，因此普勸念佛，首要深信：一、信娑婆極苦，二、信人命無常，三、信輪迴路險，四、信淨土實有，五、信西方極樂，六、信彌陀願力，七、信自心念力，八、信我心具佛，九、信因必有果，十、信生皆不退。信心既深，發願須切，淨土雖遙，有願即生。故佛説阿彌陀經時，再三慈勸：「衆生聞者，應當發願，願生彼國。已願已生，今願今生，當願當生。若有信者，應當發願，生彼國土。」因此淨土法門以願為最要，若平時常存此願，凡有願者，必生極

樂。所以普勸念佛，次要懇切發願：一、願厭離娑婆生死之苦，二、願欣求淨土菩提之樂，三、願阿彌陀佛慈悲攝受，四、願業障消除善根增長，五、願臨欲命終預知時至，六、願佛及聖眾放光接引，七、願乘金剛臺生極樂國，八、願承事諸佛親蒙授記，九、願分身無數廣度眾生，十、願福慧俱足佛道早成。若信願深切，又能勤修念佛，往生蓮品就越增上。如古今坐化立亡而上品往生者，皆是具足念佛三要，淨土三資糧「信、願、行」，而得往生。

阿彌陀佛乃法界藏身，念彌陀一佛，即念一切諸佛。彌陀慈悲不可思議，名號功德亦不可思議，所以但聞佛名，不論專心散心，信或不信，一歷耳根，即為諸佛之所護念，皆成為將來得度因緣之種子，於同體法性，有資發善根之力，雖未能速得證果，亦得成佛遠因，終久必能圓證不退，趣向佛果。單聞佛名，即有此等利益，若是聞此經而能信受持念，發願往生者，必能速得往生不退，乃至妙覺佛果等利益。持念佛號亦因各人用功深淺，所受的護念而有不同。若只聞佛名，信而不念，為「理即護念」；若稱念不專，是種未來解脫的勝因，為「名字即護念」；若能信解持誦，為「觀行即護念」；若得一心不亂，斷見思惑，證真諦理，為「相似即護念」；若得理一心不亂，分破塵沙無明，分證真如實性，為「分證即護念」；若念至四十二品無明斷盡，為「究竟即護念」。由此可見，欲蒙諸佛護念，就看修行者的念佛功力。若深述之，能

聞此經而受持得到一心不亂，則智行俱足，如般若德；所持佛名，萬德全彰，究竟心性，如法身德；念念滅除生死重罪，因行清淨，如解脫德。此三種祕藏為諸佛共證，亦為衆生同具。能念之心與所念之佛，皆不離三德。聞是經受持者，有如此功德，故能得諸佛護念。

淨土法門，深微玄妙，衆生難信，釋迦世尊於此土諄諄勸修淨土法門，而猶未能盡除衆生疑情，故舉六方恒沙諸佛同具悲心，亦各於其國勸其衆生修此淨土法門，共證釋迦所說不虛，彌陀之願可信，六方恒沙諸佛既各於其國演說讚勸此淨土法門，可見此法門已盡虛空徧法界，為十方三世諸佛之所護念。

阿耨多羅三藐三菩提譯為無上正等正覺，是指佛的果覺超越九界而獨尊。三菩提譯為正覺，斷見思惑，即得菩提，不墮三界，覺而不迷，名為正覺。三藐譯為正等，斷塵沙惑，修平等觀，行菩薩道，自利利他，名為正等正覺。阿耨多羅譯為無上，斷無明惑，妄盡覺滿，證得佛智，名為無上正等正覺。凡聞此經受持者，及聞佛名者，皆能蒙佛護念，於如是無上正等正覺，終不退轉，決定成佛。誠以自性常覺，不增不減，無得無失，悟時無得，迷時無失，菩提即我，我即菩提，是不退菩提之義。念佛迴向自性，導歸極樂，自性即極樂，極樂即自性，明心見性即極樂莊嚴，是念佛不退菩提，往生極樂之義。

圖片解說

若有眾生聞此阿彌陀經受持念佛者，皆得十方一切諸佛所護念攝受，不後受諸苦惡，決定如願往生極樂世界。

圖片解說

十方諸佛讚歎釋迦牟尼佛能在五濁惡世的娑婆世界裡，成就無上正等正覺，並為所有眾生說了這一個世間難以相信的離苦得樂的念佛法門，是為甚難希有之事。

「舍利弗！十方諸佛皆於其國稱揚讚歎阿彌陀佛極樂世界不可思議的功德莊嚴，使其國土眾生都信解受持這部阿彌陀經。像我現在稱讚諸佛如此不可思議的功德，十方諸佛也像我讚歎他們一樣的讚歎我說：『釋迦牟尼佛的功德不可思議，他能做甚難希有的事！他能在娑婆世界的五濁惡世裏，得到無上正等正覺（也就是在五濁惡世裏成佛），並且還爲許多眾生宣說一切世間希有難信的念佛法門——淨信持念阿彌陀佛，發願求生西方極樂世界。（因爲往生到極樂世界，即能見佛聞法，圓證不退，直到一生補處，成就佛果，所以這是一切世間難信之法。）』」

娑婆譯為堪忍，因為娑婆世界裡的衆生堪能忍受六道五濁之苦，不生厭惡，所以稱為堪忍濁苦的世界。世界本無濁惡，但因為有劫濁、見濁、煩惱濁、衆生濁、命濁等五種濁而變成五濁惡世。我們這個世界，罪惡多，苦痛也多，光是人道就有八苦交煎，三毒侵逼，在生死輪迴之中的我們，卻從不知厭煩，甘願忍受諸苦，此乃娑婆衆生「剛強成性，難調難伏」之故。

劫濁：時間本無清濁之分，但因有四種濁法（見濁、煩惱濁、衆生濁、命濁）聚會於此時，令娑婆世界變得混濁，故名劫濁。本師釋迦牟尼佛能於娑婆國土五濁惡世裏，得無上正等正覺，實為甚難希有之事。又為濁世衆生說念佛法門，求生極樂淨土，捨濁就清，頓超五濁，第一方便，更為難中之難。可見劫濁時，若非持名念佛，帶業往生而橫超三界，甚難得度。

見濁：這是指不正的見惑，使衆生昏昧而造業受報的身見、邊見、邪見、見取見、戒禁取見等五惑。我們深深執著四大假合之身，妄生貪愛而造諸惡業，這是身見。有人認為死後，一切皆空，沒有來生，這是斷滅見；或認為人死後仍投生為人，狗死仍生為狗，這是常見；此二見都是不信六道輪迴，偏執

斷或常而失於中道正見的邊見。有人不信因果，認為世上有很多惡人在享樂，反而有許多善人在受苦，不知果報有今生報、來生報或多生報，不是不報，只是時機未到。他們顛倒是非，撥無因果，疑誤眾生，斷諸善根，墮入惡苦深坑，這是邪見。有人見到部份道理，便以偏概全而執著不捨，甚至以為自己所修之行，已經解脫證果，這種未證說證，非果計果，妄認所修最勝而自誤終身，是見取見。有人自訂戒法，修一些無益的苦行，自以為持戒得道，實無異於煮沙成飯，終不可能成就，這是非因計因的戒禁取見。這些不正的妄見能渾濁自性，使眾生顛倒迷失於三界苦海中。以上五見又叫五利使，利是銳利，使是趣入生死，生起來很快，斷除也快。於見濁中，若非一心持名念佛，放下意見，必難得度。

煩惱濁：便是貪、瞋、痴、慢、疑，又稱「五鈍使」，此五煩惱生起時，是慢慢生起，斷除時亦須慢慢斷除。「貪」心令我們的欲望無窮，永遠不會滿足，永遠的求不得。而容易得手的，卻又不知珍惜；好不容易到手的，又怕失去。在求不得或失去時，便起「瞋」念，瞋心太重，則什麼糊塗事都做得出來，於是貪、瞋、痴就這麼循環著，侵擾著我們。一般人在學習的過程中，偶得一知半解，便自以為了不起，生起我「慢」之心，於是再也裝不進任何東西，譬如裝滿水的杯子，你再怎麼倒水進去，已無法納受。修行也是如此，最

忌自大自滿。白居易有一次問鳥巢禪師「如何修行？」禪師教他「諸惡莫作，眾善奉行」，白居易說：「這是三歲小兒都知道的事！」禪師說：「三歲小兒知道，八十老翁做不到！」看似簡單，行來可不易！一般人多是眼高手低，等到事情來了，經常不堪一擊，軟弱得很。還有一個「疑」心，時常懷疑別人動機不純，不相信人，對於佛理，則因為疑心重重，所以難以信入。貪、瞋、痴、慢、疑這五鈍使，連同前面的五利使，合稱為十煩惱。若將這十煩惱再細分，則可生出八萬四千無量煩惱。這些煩惱使我們的心無法安定下來，到處亂竄。也因為這些煩惱，渾濁了我們清淨的本性，令我們無法解脫五濁之苦。於煩惱濁中，若非持名念佛，無取無捨，以心即是佛之行，必難得度。

眾生濁：由色、受、想、行、識等五陰和合為體，假名為眾生。此實由見濁煩惱濁即見思二惑所感粗弊五陰，為三界生死輪迴之因，故六道凡夫皆名眾生。陰即覆蓋之義，眾生積聚五法而渾濁覆蓋真性，昧於萬法緣生不實，執著我相，而有五陰熾盛與六道輪迴等眾苦。極樂世界皆蓮花化生，清淨莊嚴，微妙相好，我等當欣慕極樂，厭離娑婆，一心念佛，求生彼國，超離眾生濁惡之苦。

命濁：因果惡劣，壽命短促，故名命濁。因即見濁、煩惱濁，果即眾生濁、命濁。我們這個身體是由五陰積聚，四大假合而成，四大一不調和，則生命便受威脅。所以說「人命在一呼一吸間」，一口氣吸不上來就沒命了。人生七、八十歲，已算長壽了，其實生命是非常的短促，若非一心念佛，乃至十念，皆得往生，已無他法能令得度。

釋迦牟尼佛於五濁惡世得無上正等正覺，是為甚難之難。而且還為濁世眾生開示持念佛號，頓超生死之法，是為希有中之希有。難怪諸佛要讚歎釋迦牟尼佛的功德不可思議，能為甚難希有之事，能令信願念佛的眾生，往生極樂淨土。轉劫濁為清淨海會，轉見濁為無量光，轉煩惱濁為常寂光，轉眾生濁為蓮花化生，轉命濁為無量壽，轉濁為淨，轉苦為樂，這真是一個世間難以相信的法門，難怪能為一切諸佛所護念。

蕅益大師要解云：「諸佛功德智慧，雖皆平等，而施化則有難易。淨土成菩提易，濁世難；為淨土眾生說法易，為濁世眾生說法難。為濁世眾生說漸法猶易，說頓法難。為濁世眾生說餘頓法猶易，說淨土橫超頓法猶難。為濁世眾生說淨土橫超頓修頓證妙觀，已自不易，說此無藉劬勞修證，但持名號，徑登不退，奇特勝妙超出思議第一方便之法，更為難中之難，故十方諸佛，無不推我釋迦世尊偏智勇猛也。」

念佛法門，被稱為難信之法，據古來的法師大德們，對於難信二字講解很多，今單舉明朝蓮池大師所說的八種難信談談。(1)居於五濁世界的衆生，習慣已久，反而覺的心安，尚且見聞有限，而忽聞有個西方清淨莊嚴，殊勝無比的安樂世界，都以為莫須有，而疑無此事。(2)雖知世界無盡，在無盡的世界中，都可以往生，何必一定要生極樂？(3)娑婆距離極樂，有十萬億佛刹之遠，雖欲求生，如何能得往生？(4)極樂世界是莊嚴華美，環境殊勝，豈是五濁衆生，無智的凡夫，得能住居之處？(5)莊嚴的淨土，只念阿彌陀佛名號，或一日至七日之間，就得往生，享受極樂的殊勝，怎能使人相信？(6)受胎必須要經過父母，而生極樂不須要父母，悉是蓮華化生出來，這種說法豈能使人無疑？(7)初心學佛的人，大多數是容易退墮的。而極樂世界即使是可生，也要大福德者，大智慧者，修大行者。以初機學佛的衆生，一生彼國，就能得到三不退，這又是使人難以相信？(8)或說有淨土，或說無淨土，使淺智的初學佛者，總是狐疑不決的。根據上面所說，真是使六道中的衆生難以相信，甚至二乘的聖人也不免懷疑，所以在濁世演說淨土法門，猶如對盲人指日光月光一樣，甚難覺知信受。

謹勸大家相信，本師釋迦牟尼佛所宣說的法，都是真語、實語、如語、不誑語、不異語，大家應當以至誠恭敬心來信受奉行，才不辜負廣大佛恩。

圖片解說

釋迦牟尼佛苦口婆心的為五濁惡世裡的眾生，宣說離苦得樂，往生淨土，不可思議的念佛法門。

圖片解說

佛陀宣說阿彌陀經，開示念佛淨土法門。眾生若具足信願行，持念阿彌陀佛，求生極樂世界，阿彌陀佛決定現相接引往生彼國，圓成佛道。

圖片解說

聽完了釋迦牟尼佛的說法，諸位比丘及所有的天人、阿修羅等都非常歡喜，分別向佛陀作禮後離去。

「舍利弗！諸佛所讚歎我的話，都是誠實之言，你們也應當知道我在娑婆世界行此難事——能在五濁惡世裏成佛，是爲甚難；教導衆生念一句阿彌陀佛，發願往生極樂世界，了脫無始劫以來的生死苦惱，說此難信的念佛法門，更爲甚難！」

佛陀說完這部阿彌陀經後，舍利弗等諸大比丘衆，和一切世間的天、人、阿修羅衆等，都皆大歡喜，深信發願受持念佛法門，然後起來頂禮謝法離去。

補充說明

天人阿修羅等，是指八部衆，分別是：一、欲界六天、色界四禪天、無色界四空處天的天人。二、水族之王的龍衆。三、夜叉衆，即捷疾鬼，能飛行

空中。四、以香為食的乾闥婆，是忉利天主管音樂的神。五、阿修羅，因為其多嗔好鬥，所以有天人之福而無天人之德。六、迦樓羅（即金翅鳥神）。七、緊那羅（為帝釋專司歌樂的神）。八、人身蛇首的摩睺羅伽（又稱大蟒神，亦是樂神之類）。

當來末法之世，一切佛經道法皆將滅盡，爾時首楞嚴經先滅，以次諸經悉皆滅盡，佛陀慈悲哀憫，特留無量壽經住世一百年，衆生得遇，無不得度。過百年之後，無量壽經亦將滅，惟留阿彌陀佛聖號，令善根福德衆生持念。當劫盡壞滅之時，世間已無人能念全阿彌陀佛四字，則法將滅盡。其實阿彌陀佛淨土法門為十方三世諸佛所讚歎勸修護念，既已普遍恒沙佛土，乃是永無滅時，由此可見無量光壽淨土法門之殊勝功德莊嚴，無有法門能出其上。念佛法門，廣度群品，一切衆生應當尊重恭敬。

如來日輪已沒，法近中夜（末法），最後覺車（回到真如法性的故鄉）將開，唯一智船（渡到清涼解脫的彼岸）快去，六道遊子若不急尋搭乘，待夜霧漸濃（五濁惡業深誤衆生），不見車船，便成蹉跎，要等黎明，彌勒住世，方有救濟。悲哉！浪子！淪沒長夜，備受衆苦，塵沙劫數，未有了期，血性漢子，怎不悚然？智者宜當猛省，趕緊上路，持戒念佛，必能回家！

▲金翅鳥及龍紋堆繡。迦樓羅即金翅鳥神，傳說居於四天下之大樹，專門取龍爲食。

▲南方增長天王像，四大天王之一，爲佛教之護法神。

▼北方多聞天王像，爲八部護法之一。

▼敦煌壁畫《飛天》。在印度，梵音叫作乾闥婆，據說她們居住於風光明媚的天宮十寶山中，不食酒肉，專採百花香露，散天雨花，放百花香，又名香音神。

◉釋尊說法圖

◉彌陀接引圖

◉彌陀接引圖

◉佛涅槃圖

九品蓮圖

印光大師開示云：

佛法修持，總攝有二種不同法門：

若仗自力修戒定慧，以迄斷惑證真，了生死者，名為通途法門。

若具真信切願，持佛名號，以期仗佛慈力，往生西方者，名為特別法門。

淨土法門，乃佛法中之特別法門，其利益與通途法門大不相同。

古今多有依通途法門，論淨土法門，由茲自誤誤人，而又自謂宏法利生者，不勝其多。

其最初錯點，在不察佛力與自力之大小難易，以仗佛力之（特別）法門，硬引仗自力之（通途）法門，而欲平論，致有此失。

使知佛力不可思議，不能以具縛凡夫修持之力，相為平論，則一切疑惑不信之心，化為烏有。

今依印光大師開示列表如左：

佛法｛通途法門：斷惑證真➡自力修證超凡入聖（難行道）
　　　特別法門：斷疑生信➡佛力接引往生淨土（易行道）｝

念佛一事，最要在了生死，凡信願真切念佛者，臨命終之前，必蒙佛菩薩現前慈悲加祐，接引往生淨土。

今引佛說阿彌陀經為證《唐玄奘大師譯本》

若有淨信諸善男子或善女人，得聞如是無量壽佛無量無邊不可思議功德名號，極樂世界功德莊嚴，聞已思惟。若一日夜，或二或三，或四或五，或六或七，繫念不亂。是善男子或善女人臨命終時（指已近命終）無量壽佛與其無量聲聞弟子，菩薩衆俱，前後圍繞，來住其前。慈悲加祐，令心不亂，既捨命已（指已經命終）隨佛衆會，生無量壽極樂世界清淨佛土。

下品下生

十惡五逆，臨終苦逼，教稱十念，華開金色。

具造五逆十惡，終現阿鼻極苦之境。幸遇知識，勸令念佛，彼人苦逼，不遑念佛，知識警告，遂志心稱佛無間。如是十念，即除八十億劫生死之罪，見金蓮華如日住前，自身乘華，一念往生，滿十二大劫華開，聞二聖廣說諸法實相，即發菩提之心。

下品中生

毀戒業深，獄火俱至，聞法迴心，眾聖迎去。

破戒犯齋，盜僧祇物，不淨說法，將命終時，地獄諸惡一時俱現。幸遇知識，說彌陀功德及戒定慧等，聞已除八十億劫生死之罪，獄火化作涼風，吹諸天華，華上皆有化佛菩薩迎接此人，一念頃即生寶池，蓮華六劫方開，聞二聖宣大乘經，即發無上道心。

生平積惡，幸遇良師，一稱佛號，生蓮花池。

雖不謗佛，專多造業，終遇知識，聞說大乘經名，即除千劫重罪。復教合掌念佛，又除五十億劫生死之罪，即見化佛，化聖眾放光滿室，命盡乘寶華臺，隨佛即至寶池。經七七日蓮華乃開，見二聖光，並聞所說大乘經典，即發無上道心，經十小劫，具百法明門，得證初地。

中品下生

孝友仁慈，知識開悟，遇二菩薩，聞法得度。

能行孝道仁慈，終遇知識，廣讚極樂，彌陀大願，聞已命終，屈伸臂頃，即生極樂國。七日已，聞觀音勢至說法，即得初果，一小劫後，成阿羅漢。

中品中生

一日一夜，奉戒願求，蓮開見佛，即預聖流。

若於一日一夜，嚴持八戒，或沙彌戒，具足戒，回向極樂，終見佛聖金光，自坐七寶蓮臺，還合，即往寶池，七日方開，禮讚聞法，得證初果，半劫遂得四果。

中品上生

諸戒奉持，往生如願，聞說苦空，得阿羅漢。

守持齋戒，回向極樂，終見佛聖金光，及聞苦空無常無我等法，自上蓮華，禮舉頭頃，即生彼國，蓮華尋開，聞四諦法，即證四果，具足三明八解。

但發道心，未窮妙理，到彼開明，獲菩提記。

亦信大乘因果，
但發無上道心，
回向極樂，終見
五百化佛一時授
手，自登金蓮華
即合，隨佛到池
，一日夜華開。
七日已，雖見佛
身，相好不明。
三七後，方了了
見，親供諸佛，
聞甚深法，三小
劫得百法明門，
住歡喜地。

上品中生

達諸法空，了無驚動，有願即生，不必讀誦。

聞大不驚，深信因果，回向極樂，終見一千化佛，一時授手，聖眾無量，自身登紫金臺。一念頃到池，一宿華開，身紫金色，蒙佛聖光，慧目開明，悟宿習善，皆第一義，下臺禮佛。過七日得三藐三菩提，一小劫得無生忍。

三心圓發，諦理深明，金臺隨往，即證無生。

三心圓發，發大乘願，終見佛聖無量，自身乘金剛臺，彈指生彼，即聞佛乘，頓開佛慧，證無生忍。須臾間，即可歷事十方諸佛，次第授記，還國，得無量總持門。

佛恩親恩，昊天罔極，欲報之德，念佛第一。

樹欲靜而風不息，子欲養而親不在。此普天下為子女者，對於父母養育之恩，酬報無從，而抱無限之悲痛者。蓮池大師云：「親得離塵垢，子道方成就。」是以善報親恩者，當誠敬念佛，使我今生乃至累劫生身父母，仗佛不可思議願力，脫離生死苦海，超生淨土。如是功德，倍加殊勝，良以報恩孝心，最為佛所嘉許。

附慈雲大師發願文

一心皈命，極樂世界，阿彌陀佛，願以淨光照我，慈誓攝我，我今正念，稱如來名，為菩提道，求生淨土。佛昔本誓：「若有眾生，欲生我國，志心信樂，乃至十念，若不生者，不取正覺。」以此念佛因緣，得入如來大誓海中，承佛慈力，眾罪消滅，善根增長，若臨命終，自知時至，身無病苦，心不貪戀，意不顛倒，如入禪定，佛及聖眾，手執金臺，來迎接我，於一念頃，生極樂國，花開見佛，即聞佛乘，頓開佛慧，廣度眾生，滿菩提願。十方三世一切佛，一切菩薩摩訶薩，摩訶般若波羅蜜。

附錄雲棲法彙佛示念佛十種功德

若人受持一佛名號者，現世當獲十種功德利益：

一、晝夜常得諸天大力神將，並諸眷屬，隱形守護。

二、常得二十五大菩薩，如觀世音等，及一切菩薩，常隨守護。

三、常為諸佛晝夜護念，阿彌陀佛常放光明，攝受此人。

四、一切惡鬼，若夜叉、羅剎，皆不能害。一切毒蛇、毒龍、毒藥，悉不能害。

五、一切火難、水難，怨賊、刀箭，牢獄、杻械，橫死、枉死，悉皆不受。

六、先所作罪，皆悉消滅，所殺怨命，彼蒙解脫，更無執對。

七、夜夢正直，或復夢見阿彌陀佛勝妙色身。

八、心常歡喜，顏色光澤，氣力充盛，所作吉利。

九、常為一切世間人民，恭敬、供養、禮拜，猶如敬佛。

十、命終之時，心無怖畏，正念現前，得見阿彌陀佛，並諸菩薩聖眾，手持金臺，接引往生西方淨土，盡未來際，受勝妙樂。

南無護法韋馱尊天菩薩

和裕佛學淺說系列叢書

劃撥帳號：30073941　　戶名：和裕出版社

A003　25開本

每本定價 100 元
一次訂購 100 本以上
特惠每本 50 元

A002　25開本

每本定價 100 元
一次訂購 100 本以上
特惠每本 50 元

A001　25開本

每本定價 100 元
一次訂購 100 本以上
特惠每本 50 元

A006　16開本

每本定價 150 元
一次訂購 50 本以上
特惠每本 80 元

A005　16開本

每本定價 150 元
一次訂購 50 本以上
特惠每本 80 元

A004　16開本

每本定價 150 元
一次訂購 50 本以上
特惠每本 80 元

A009　25開本

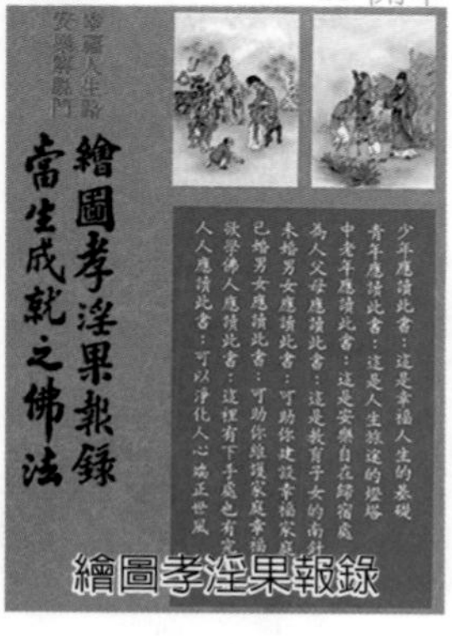

每本定價 100 元
一次訂購 100 本以上
特惠每本 50 元

A008　16開本

每本定價 200 元
一次訂購 50 本以上
特惠每本 80 元

A007　16開本

每本定價 150 元
一次訂購 50 本以上
特惠每本 80 元

和裕佛學淺說系列叢書

劃撥帳號：30073941　　戶名：和裕出版社

A012.A012-1　16 開精裝本

◎書本每本定價 200 元
一次訂購 50 本以上特惠每本 100 元
◎錄音帶一套四卷定價 300 元
一次訂購 10 套以上特惠每套 200 元

A011　25 開本

每本定價 100 元
一次訂購 100 本以上
特惠每本 50 元

A010　16 開本

每本定價 150 元
一次訂購 50 本以上
特惠每本 80 元

A015　特 16 開本

每本定價 150 元
一次訂購 50 本以上
特惠每本 80 元

尚未出版

A014　16 開精裝本

每本定價 200 元
一次訂購 50 本以上
特惠每本 100 元

尚未出版

A013　16 開精裝本

每本定價 200 元
一次訂購 50 本以上
特惠每本 100 元

A018　16 開本

每本定價 200 元
一次訂購 50 本以上
特惠每本 100 元

A017　25 開本

每本定價 100 元
一次訂購 100 本以上
特惠每本 50 元

A016　16 開本

每本定價 200 元
一次訂購 50 本以上
特惠每本 100 元

和裕佛學淺說系列叢書

劃撥帳號：30073941　　戶名：和裕出版社

A021　16 開本

每本定價 240 元
一次訂購 50 本以上
特惠每本 120 元

A020　25 開本

每本定價 100 元
一次訂購 100 本以上
特惠每本 50 元

尚未出版

A019　25 開本

每本定價 150 元
一次訂購 50 本以上
特惠每本 80 元

A024　16 開本

每本定價 150 元
一次訂購 50 本以上
特惠每本 80 元

A023　16 開本

每本定價 240 元
一次訂購 50 本以上
特惠每本 120 元

A022　16 開本

每本定價 150 元
一次訂購 50 本以上
特惠每本 80 元

A026　25 開本

每本定價 100 元
一次訂購 100 本以上
特惠每本 50 元

A025　25 開本

每本定價 100 元
一次訂購 100 本以上
特惠每本 50 元

佛說阿彌陀經淺譯

全國第一本彩色插圖國語注音白話淺釋

國立中央圖書館出版品預行編目資料

佛說阿彌陀經淺譯／吳重德圖文改編
——台南市：和裕出版社，民83
面；　公分——（佛學淺說；8）
ISBN　957-8921-08-X（平裝）

1.方等部

221.34　　　　83003836

發行人／吳重德
出版者／和裕出版社
台南市安南區709海佃路2段636巷5號
電話：（06）2454023－7
傳真：（06）2566449
郵撥帳號：30073941　戶名：和裕出版社
印刷者／哈哈書套・春輝股份有限公司
台南市安南區709海佃路2段636巷15弄7號
電話：（06）2566443－4
圖文改編著作人／吳重德
設計製作／春輝文化

和裕出版社　局版台業字第3789號
能仁出版社　局版台業字第494號
春輝有聲出版社　局版台音字第1576號

封面設計／鄭曜昌
E-mail ／ heyu@ms14.url.com.tw
法律顧問／台一國際商標專利律師事務所
出版日期／中華民國1999年一版三刷

行政院新聞局出版事業登記證局版臺業字第3789號